ESKİ TÜRK YAZITLARI

ERHAN AYDIN

ESKİ TÜRK YAZITLARI

ERHAN AYDIN

İstanbul, 2022

SELENGE YAYINLARI

No: **193** | Selenge Bilgi Serisi: **28** | **Ocak 2022, 1. Baskı**

GENEL YAYIN YÖNETMENİ
Rukiye Şahin

SELENGE BİLGİ SERİSİ KOORDİNATÖRÜ
Erkan Göksu

YAZAR
Erhan Aydın

EDİTÖR
Murat Çaylı

SON OKUMA
İnayet Bebek

KAPAK GÖRSELİ
Napil Bazılhan

KAPAK TASARIMI
Şevket Dönmezoğlu

SAYFA DÜZENİ
Hilal Yazlık

BASKI-CİLT
Repar Dijital Matbaası

ISBN
978-625-7459-33-4

SERTİFİKA NO.
40675

Selenge Yayınları, Repar Tasarım Matbaa ve Reklamcılık Ticaret Limited Şirketi'nin tescilli markasıdır.

Mimar Sinan Mah., Selami Ali Efendi Cad., No: 5 34672 Üsküdar/İstanbul
Tel: 0 (212) 522 48 45
www.selenge.com.tr
e-posta: selenge@selenge.com.tr

İÇİNDEKİLER

DÖRDÜNCÜ BÖLÜM

ÖN SÖZ

Türklerin bilinen ilk yazılı belgeleri; yazıt taşları, kayalar ve gündelik hayatta da kullanılabilen kimi eşyalar üzerine oyma yazı sistemiyle yazılmış metinlerdir. I. Köktürk Kağanlığı döneminden başlamak üzere, yazılı belgelerin özellikle eskiliği konusunda türlü görüşler bulunsa da Türk dili araştırmacıları, Türklerin bilinen ilk yazılı belgelerinin Türk runik harfleriyle yazılmış ve yedinci yüzyılın son on yılına tarihlenebilecek Çoyr (Çöyr~Çoyren) yazıtıyla başlatılması gerektiği konusunda aynı kanaattedirler. Ancak Türk runik harfli eski Türk yazıtlarının önemli bir bölümünün tarihsiz oluşu, tartışmaların uzayıp gitmesine, dolayısıyla türlü görüşlerin ortaya çıkmasına neden olmaktadır.

Türklerin yedinci yüzyıldan itibaren Türk runik harf sistemiyle meydana getirdiği büyük bir yazıt külliyatı bulunmaktadır. Bugün sayısı beş yüzü aşan bu metinlerdeki her sözcük yalnızca dil bilgisi bakımından incelenmemiş, özellikle tarih, coğrafya, sosyoloji, felsefe gibi birçok bilim alanının uzmanlarınca değerlendirilmiştir. Dolayısıyla bu metinler binlerce kitap, makale ve bildiriye konu olmuştur.

Bu kitapta, Türklerin ilk yazılı belgeleri olarak nitelendirilebilecek eski Türk yazıtları hakkında genel bilgiler bulunmaktadır. Giriş bölümünün ardından, Köktürk ve Uygur Kağanlıkları'yla ilgili, özellikle yazıtlardan elde edilen bilgilere yer verilmiştir. Eski Türk yazıtlarının yazımında kullanılan alfabenin kökenine ve yazım sistemine de değinilmiş, yazıtların bulunduğu bölgeler hakkındaki bilgilerden sonra "Eski Türk Yazıtları Dönemi Türkçesinin Genel Yapısı" başlığı altında, yazıtlar dönemi Türkçesinin ses, biçim, sözlük ve diyalektoloji özellikleri hakkında elde edilen bulgular işlenmiştir. Kitabın son bölümündeyse eski Türk yazıtlarından örneklere yer verilmiştir.

Kitabın amacı, okuyucuyu dipnotlara boğmadan yazıt ve yazıtlar dönemi hakkında ana hatlarıyla bilgi vermektir. Bu nedenle her kesimden okuyucunun keyif alarak okuması, kitabın hedeflerinin başında gelmektedir.

Kitabın ortaya çıkmasındaki destekleri için değerli meslektaşım Prof. Dr. Erkan Göksu'ya, Selenge Yayınları mensuplarına ve fedakâr eşim Dr. Mihriban Aydın'a gönülden teşekkür ederim. Yararlı olması dileğiyle.

Prof. Dr. Erhan Aydın
Ekim 2021

GİRİŞ

Eski Türk yazıtları, türlü konularda binlerce sözcük bulunduran büyük bir hazinedir. Bu sözcüklerin önemli bir bölümünü askerlik sistemi, savaşlar, barışlar ve devletlerarası diplomasi oluşturmaktadır. Eski Türk yazıtlarında askerî terminolojiyle ilgili sözcükler epeyce yer tutuyor olsa da gündelik hayata dair izlerin yakalanabildiği sözcükler ve dolayısıyla cümleler de bulunmaktadır. Çok zaman açık olarak ifade edilmemiş gibi görünse de bu izleri, cümleler arasından seçebilmek mümkündür. Elde edilen sözcükler, genelde tüm Türkleri, özeldeyse Uygur, Türgeş, Kırgız gibi Türk boylarını ilgilendirmektedir.

Türklerin bilinen ilk yazılı belgelerinin tarihlerinin hangi yüzyıldan başlatılması gerektiği, üzerinde uzlaşmaya varılamamış konuların başında gelmektedir. I. Köktürk Kağanlığı ile I. ve II. Köktürk Kağanlığı arasındaki elli yıllık fetret dönemi de dâhil olmak üzere, yazılı belgelerin eskiliği konusunda türlü görüşler bulunmaktadır. Ancak Türk dili uzmanlarının dışındaki bilim alanlarıyla popüler tarih ve dil araştırmalarına ilgi gösterenlerin görüşleri göz ardı edildiğinde, Türk dili araştırmacıları, Türklerin bilinen ilk yazılı belgelerini, yedinci yüzyılın son on yılına tarihlenebilecek Çoyr (Çöyr~Çoyren) yazıtıyla başlatmak gerektiği konusunda aynı görüştedir. Çünkü bu yazıtta İlteriş Kağan'ın adı geçmektedir ve 692 yılında öldüğü bilinen İlteriş Kağan'ın adının anılması dolayısıyla şimdilik en eski tarihli yazıt olduğunu söylemek mümkündür.

Türk runik alfabesiyle yazılmış eski Türk yazıtlarının büyük bir bölümünün tarihsiz oluşu, hangi yazıtın hangi tarihlerde yazdırılıp diktirildiğini bilmeyi imkânsız hâle getirmektedir. Bu nedenle Türklerin ilk yazılı belgelerinin hangi tarihlere ait olduğunu saptayabilmek gerçekten güçtür. Herhangi bir metinde tarih kaydı bulunmuyorsa, yazıtların eskiliği konusunda ses ve biçim bilgisi özellikleri, söz varlığı, diyalekt öğeleri, anlatılan olayların öteki yazıtlarla karşılaştırılması gibi konuların büyük önemi vardır. Böylelikle sözcüklerin yazımı, harflerin öteki yazıtlardaki benzerliği veya farklılığı, ses ve biçim bilgisi özellikleri sayesinde yazıtların yazıldığı dönem, aşağı yukarı bir tarihlendirmeyle belirlenebilmektedir.

Bilinen en eski yazılı Türkçe belgeler, II. Köktürk Kağanlığı döneminden kalan yazıt taşı, kaya kütleleri ve çeşitli nesneler üzerine oyma yazı sistemiyle yazılmış metinlerdir. 681 yılında kurulan II. Köktürk Kağanlığı döneminden önce herhangi bir yazılı metin elde edilememiştir. Ancak yazıtlardan, daha önceki Türkçenin tarihî dönemleri hakkında türlü değerlendirmelerin yapıldığı görülmektedir. Örneğin, Çinlilerin Xiongnu (匈奴) diye adlandırdığı Hunlarla ilgili Çin kaynaklarında yer alan kimi sözcüklerin Hunca olabileceğini düşünen Sinolog ve Türkologlar, birkaç Hunca sözcük tespit etmişseler de bunların hangi Türkçe sözcüklerin Çince telaffuzu olduğunu anlayabilmek güçtür.

Türkçenin dönemlerinden biri olarak kabul edilen T'o-pa Wei (Tuoba 拓跋) diliyle ilgili Çin kaynaklarında kimi sözcükler tespit edilmiş, elde edilen sözcüklerin hangi Türkçe sözcükler olduğuyla ilgili epeyce tartışma yapılmıştır. Tabgaçlarla birleştirmenin yaygın kanaat olduğu T'o-pa'ların, Clauson gibi kimi araştırmacılar standart bir Türkçe olmasa bile büyük bir olasılıkla *l/r* lehçesi ancak kesinlikle Türkçe konuştuğunu belirtmiştir. Ancak Chen Sanping ve Alexander Vovin gibi Altay dilleri araştırmacıları, bu dilin erken Moğolca örneği olduğunu öne sürmüşlerdir.

BİRİNCİ BÖLÜM

KÖKTÜRK VE UYGUR KAĞANLIKLARI

I. ve II. Köktürk Kağanlığı

Tarihte Türk adıyla kurulan ilk devlet Köktürk Kağanlığı'dır. Bu devlet, Göktürk ve Türk Kağanlığı adlarıyla da bilinmektedir. Türk Kağanlığı denmesinin temel nedeni, yedinci yüzyılın son on yılı ile sekizinci yüzyıldan kaldığı bilinen Türk runik harfli eski Türk yazıtlarında, Türk adıyla genel bir addan çok, yönetici, hâkim boyun adının kastedilmesidir. Yani başka bir deyişle, eski Türk yazıtlarında *Türk* veya *Türük* biçimlerinde iki türlü tespit edilen ad, Köktürk Kağanlığı'nın yönetici boyunu ifade etmektedir.

Köktürk Kağanlığı'nın hanedan boyunu belirten Türk adı, Türk runik harfli eski Türk yazıtlarında iki biçimde ele geçmiştir: *Türk* (𐱅𐰇𐰼𐰚) ve *Türük* (𐱅𐰇𐰼𐰜). Her iki biçim de herhangi bir anlam ayrımı yapılmaksızın sıklıkla kullanılmıştır. Dolayısıyla Köktürk Kağanlığı'nı kuran hanedan boyunu gösteren bu adın *Türk* ve *Türük* olarak iki biçimde yazılmasının, doğal olarak bir anlamı bulunması gerekmektedir. Özellikle *Türük* (𐱅𐰇𐰼𐰜) biçiminde göze çarpan *ök/ük* ses değerini veren (𐰜) işareti, ön ünlülü *k* sesini yazmada kullanılmadığı için, yalnızca *ök/ük* hecesini karşılamaktadır. Başka bir deyişle, *ök/ük* olarak okutan işaretin ses değeri *k* olmadığı için adın *Türk* biçiminde okunması mümkün değildir.

Türk veya *Türük* adlarının yazımında herhangi bir ayırt edici unsurdan söz etmek güçtür. Örneğin bu ad, Tonyukuk yazıtında hem *Türk* hem de *Türük* biçiminde yazılmıştır. Eğer *Türk* veya *Türük* yazımı arasında bir fark olsaydı, herhâlde Tonyukuk gibi bir aksakalın yazdığı veya yazdırdığı metinde mutlaka fark edilebilirdi. Aynı durumu II. Köktürk Kağanlığı'nın önemli yazıtlarından Ongi ve Küli Çor için de söylemek gerekir. Yenisey yazıtlarında bir kez geçen *Türk* adıysa *Türk* biçiminde yazılmıştır.

Köl Tegin ve Bilge Kağan yazıtlarındaysa istisnasız *Türük* biçiminde yazılmıştır. Yine II. Türk Kağanlığı'nın en önemli yazıtlarından biri olarak değerlendirilen ve Bilge Kağan'ın yönetimi sırasında batıda yaşayan Tarduşlara atanmış şad görevinde bulunan Küli Çor adına yazdırılıp diktirilen Küli Çor yazıtında da hem *Türk* hem de *Türük* biçiminde yazılması ilginç ve bir o kadar da önemlidir.

Köktürk Kağanlıklarından sonra aynı coğrafyaya egemen olan Uygurların elinden çıkan özellikle kağanlık yazıtlarında da istisnasız *Türük* biçiminde yazılmıştır.

İki farklı biçimde ancak aynı hanedanı ifade eden *Türk* ve *Türük* sözcüklerinin ayırt edici bir özelliğini yakalayabilmek için, sözcüklerin geçtiği yerleri şöyle belirtmek mümkündür:

Türk (𐰚𐰼𐰇𐱅): Tonyukuk yazıtı 1. taş batı yüzü 1, 2, 3, 3; güney yüzü 2, 4, 10, 10; doğu yüzü 1, 1, 3, 5; Ongi yazıtı doğu yüzü 2, 3, 3; Küli Çor yazıtı batı yüzü 4, 6; Uybat III (E 32) yazıtı 10; Talas XII (K 12) yazıtı 2.

Türük (𐰜𐰼𐰇𐱅): Köl Tegin ve Bilge Kağan yazıtlarındaki tüm örnekler; Tonyukuk yazıtı 2. taş güney yüzü 2, 6, 6, doğu yüzü 4, 8, kuzey yüzü 2, 3, 4, 4; Küli Çor yazıtı batı yüzü 8; Tariat yazıtı doğu yüzü 5, 7, 8; Şine Usu yazıtı kuzey yüzü 4, 4, 8, 10, güney yüzü 8, batı yüzü 8.

Yukarıdaki verilere göre Köl Tegin ve Bilge Kağan yazıtlarında *Türk* yazımının bulunmamasının ilginç ve önemli olduğunu bir kez daha vurgulamakta yarar bulunmaktadır.

I. ve II. Köktürk Kağanlıklarının egemen olduğu döneme karşılık gelen, Çin'de kurulmuş Chou, Sui ve Tang Hanedanları kaynaklarındaysa *Türk* adı *Tujue* (突厥) biçiminde yazılmıştır. Çinlilerin bugün kullandığı pinyin sistemiyle *Tujue* yazımının yedinci ve sekizinci yüzyıldaki okunuşunun, büyük olasılıkla *türük* sözcüğünün telaffuzu *T'u-kiuat* benzeri bir biçim olması gerektiği konusunda türlü tartışmalar yapılmıştır. Çinlilerin bu telaffuzu, sözcüğün *Türük* değil, *Türkü* şeklinde okunması gerektiğini önerenlerin ortaya çıkmasına bile neden olmuştur. Örneğin İngiliz Türkolog Sir Gerard Clauson, eski Türk yazıtlarındaki *Türük* sözcüğünün *Türkü* şeklinde okunması kanaatinde olduğunu belirtir ve başta, 1972 yılında Oxford Üniversitesi'nce yayımlanan *An Etymological Dictionary of Pre-Thirteenth-Century Turkish* adlı köken bilgisi sözlüğü olmak üzere, tüm çalışmalarında *Türkü* şeklinde okur.

Paul Pelliot ise Çince telaffuzun ancak *Türküt* sözcüğünden kaynaklandığını belirtir ve sözcük sonunda bulunan ve Moğolcada Türkçeden daha sık kullanılan, Ana Altayca kökenli çokluk eki *+t* ile yapıldığını öne sürer. Peter A. Boodberg'e göreyse bu Çince ad, *Türküz* veya *tokuz* olarak anlaşılmalıdır. Ayrıca *Türküz* sözcüğündeki *+z*'nin, *kırkız* sözcüğünde de bulunduğu öne sürülen eskicil bir Türkçe çokluk eki olduğu kanaatindedir.

Çincenin özellikle sekizinci yüzyılına denk gelen Orta Çince sözcükleri üzerinde çok sayıda çalışması bulunan Edwin G. Pulleyblank ise Clauson'un *Türkü* okuyuşunu ve bunu yaygınlaştırmasını şiddetle eleştirir.

Aslında tüm bu tartışmalarda tarafların her biri kendince haklıdır çünkü sekizinci yüzyıl Çincesindeki herhangi bir Türkçe sözcüğün telaffuzu ve özellikle hanedan yönetiminin merkezi eski Chang'an (長安) kenti ve civarındaki Çince ile Türklerin yaşadığı Kuzey ve Kuzeybatı Çin'e daha yakın bölgelerdeki Çin diyalektlerindeki biçim de hâliyle farklı olacaktır. Dolayısıyla Türklerin yaşadığı bölgelerdeki Çin diyalektlerince telaffuz edilen bir sözcüğün, yönetim merkezi Chang'an'da herhangi bir tarih yazıcısının eline ulaşana değin oldukça farklı biçimlere dönüşmesi zaten kaçınılmazdır. Dolayısıyla bu tartışmalara katılmak ve taraf olabilmek için hâliyle sekizinci yüzyılın merkezî Çincesini bilmekle birlikte, özellikle Kuzey ve Kuzeybatı Çin diyalektlerindeki biçimlere de hâkim olmak zorunluluğu doğmaktadır.

Uygur Kağanlığı döneminin kağanlık belgeleri Tariat (Terh) ve Şine Usu yazıtlarında, Uygur Kağanlığı'nın özellikle ilk dönemleri hakkında çok önemli bilgiler bulunmaktadır. Uygur Kağanı Moyan Çor'un (Moyanchuo 磨延啜) başını çektiği Uygurlar, kuşkusuz Çinlilerin de verdiği destekle, 741 yılında Köktürk ülkesinde karışıklık çıkarır. Şine Usu yazıtı kuzey yüzü 10. satır: *Tutdum katunın anta altım türük bodun anta ıngaru yok boltı* "(Ozmış Kağan'ı) tuttum. Hatununu orada ele geçirdim. Köktürk halkı ondan sonra (bunun üzerine) yok oldu." Uygur lideri Moyan Çor Kağan, bu cümlede geçen *Türük* sözcüğüyle Köktürkleri kastetmiş, Köktürklerin son kağanlarından Ozmış Kağan'dan söz etmiş, Ozmış Kağan ile karısının ele geçirildiğini yani bir anlamda Köktürk egemenliğine son verildiğini belirtmiştir.

Güney Sibirya bölgesinin en önemli ve en çok yazıt bulunduran alanı Yenisey'deyse *Türk* sözcüğü iki yerde tespit edilmiştir. Sözcüğün geçtiği yer ve cümleler şöyledir:

Uybat III (E 32) yazıtı 10. satır: *Erdemin üçün türk kan balbalı ėl ara tokuz erig oduş? er oglın ögürüp? ödür? altı erdem begim e* "Kahraman olduğun için Köktürk kağanının balbalını yurdun her tarafında, dokuz askeri? erkek çocuklarıyla sevinip <...> (Ey) altı kahraman beylerim!"

Podkuninskaya (E 71) 2: <...> *türki edgü begim e* "<...> Türki iyi beyime."

Uybat III (E 32) yazıtının 10. satırında geçen *Türk* adıyla II. Köktürk Kağanlığı'ndan söz edildiği gayet açıktır. Çünkü Yenisey yazıtlarında Uygurlar için *Uygur* adı kullanılmıştır: İyme I (E 73) yazıtı 7. satır: *Teŋr<i> ėlimke er erdemim üçün uygur kanda berü kel[tim]* "Kutsal yurduma, erkeklik kahramanlığım için Uygur kağanından geri geldim." Uybat III (E 32) yazıtında kullanılan *Türk* sözcüğünün Uygur yazıtlarında da benzer kullanımı, Yenisey yazıtlarının en azından bir bölümünün II. Köktürk Kağanlığı'ndan kalan yazıtlarla aynı yıllarda dikildiğine kanıt olmaktadır.

Türk adı, ister *Türk* isterse *Türük* biçiminde yazılmış olsun, kastedilenin II. Köktürk Kağanlığı olduğuna dair verilen bilgilerden sonra, bir başka önemli sorun kağanlığın adını kullanmadaki tercihlerdir.

Köktürk veya Göktürk Devleti olarak anılan I. ve II. Köktürk kağanlıklarından, özellikle 681'de İlteriş Kağan tarafından kurulan II. Köktürk Kağanlığı'na Kutluk Devleti de denmektedir. *Kutluk* adı, II. Köktürk Kağanlığı'nın kurucusu İlteriş Kağan'ın Çin kaynaklarında geçen *Guduolu* (骨咄祿) adından kaynaklanmaktadır ve bu adın, 'kutlu, talihli, bahtlı' anlamındaki Türkçe *kutlug* sözcüğünün Çince telaffuzundan başka bir şey olmaması gerekir. Ancak yine de Kutluk Devleti yerine, II. Köktürk~Göktürk Kağanlığı/Devleti demek daha doğru olacaktır.

I. Köktürk Devleti 552 yılında Bumın Kağan tarafından kurulmuştur. Adın Türkçe olup olmadığı tartışılıyor olsa da kağanın adının Bumin değil, Türkçenin en önemli ses kurallarından biri olan artlık-önlük uyumuna uydurarak Bumın okunması, kuşkusuz daha doğrudur. Bumın Kağan'ın adı, Türk runik harfli eski Türk yazıtlarında yalnızca üç kez (Köl Tegin yazıtı doğu yüzü 1, Bilge Kağan yazıtı doğu yüzü 3 ve Tariat yazıtı doğu yüzü 1) geçer. Bu üç tanıktan Köl Tegin ve Bilge Kağan yazıtlarındaki örnekte (𐰉𐰆𐰢𐰣) ikinci hecedeki ünlü yazılmamış iken Tariat yazıtındaysa ikinci hecedeki ünlü yazılmıştır: (𐰉𐰆𐰢𐰃𐰣). Tariat yazıtındaki bu çok önemli yazım, Kağan'ın adını *Buman* veya *Bumen* olarak okumayı engellemektedir. Bumın Kağan'ın adının Türkçe olmadığının genel kanaat olduğunu da eklemek gerekir. Çinlilerin bu adı *Tumen* (土門) olarak vermesi de ayrı bir sorundur. Kağanın adını *t* sesiyle başlattıkları hâlâ açıklanamamış bir konudur. Bumın Kağan'ın Çin kaynaklarındaki kayıtlı öteki adıysa Yili'dir (伊利).

Bumın Kağan ve I. Köktürk Devleti'nin kuruluşuyla ilgili eski Türk yazıtlarındaki bilgiler yok denecek kadar azdır. Bu nedenle devletin ilk dönemleri hakkındaki en iyi bilgiler, Çinlilerin yazdıklarından elde edilebilmektedir. I. Köktürk dönemine denk gelen Çin'de kurulan Chou Hanedanı kaynaklarından edinilen bilgiye göre, Bumın Kağan'ın bağımsızlık hareketinden önceki dönemlerde Rouran'lara (柔然) bağlı olarak yaşayan ve demircilikle uğraşan bir halka önderlik ettiği anlaşılmaktadır. Bumın Kağan ve ondan sonra gelen özellikle Mugan (木杆) Kağan zamanında Köktürkler, yalnızca Asya'nın değil, Doğu Avrupa ve Anadolu'ya kadar uzanan büyük bir coğrafyanın da tek hâkimi durumundaydılar.

Taspar (Tatpar?) Kağan'dan sonraki dönemde devletin ikiye ayrıldığı ve doğuda olana Doğu Köktürkleri, batıda olanaysa Batı Köktürkleri denmeye başlandığı da bilinenler arasındadır. Hatta Édouard Chavannes, Köktürklerin Doğu ve Batı Köktürkleri adıyla ikiye bölünmesinin, daha Bumın ve İstemi zamanından beri var olduğunu belirtir.

Bugünkü Çin Halk Cumhuriyeti'nin kuzeybatısında yer alan Doğu Türkistan bölgesinin batı bölümlerinde yönetim merkezini kuran Batı Köktürkleri, önderleri İstemi Kağan döneminde özellikle Batı Dünyası ve bu dünyanın en ünlü temsilcisi Bizans Devleti'yle diplomatik ilişkiler kurması nedeniyle de ünlenmiştir.

Bumın Kağan'ın kardeşi ve Batı Köktürklerinin ilk lideri İstemi Kağan'ın adı, okunuşunda tam birlik olmasa da ağırlıklı olarak *İstemi* biçiminde okunmuştur. Bu ad, eski Türk yazıtlarında, Köl Tegin yazıtı doğu yüzü 1 ve Bilge Kağan yazıtı doğu yüzü 3. satırında olmak üzere yalnızca iki kez tespit edilmiştir. Kağan'ın adının bu iki tanıktaki yazımıysa şöyledir: Köl Tegin yazıtı doğu yüzü 1. satır: 𐰃𐰾𐱅𐰢𐰃, Bilge Kağan yazıtı doğu yüzü 1. satır: 𐰾𐱅𐰢𐰃. Baştaki *ı/i* ünlüsünü gösteren harfin, Bilge Kağan yazıtında bulunmadığı açıkça görülmektedir. Köl Tegin yazıtı, ağabey Bilge Kağan'ın elinden çıktığı için, bu yazıttaki yazımların daha doğru olduğunu düşünmek ve öne sürmek mümkündür. Bu nedenle Bilge Kağan yazıtında *i* harfinin yazımı unutulmuş gibi görünmektedir.

Çinlilerse İstemi'nin adını Shidianmi (室點密) olarak kaydetmişlerdir. Adın Türkçe olmadığı yönünde tam bir görüş birliğinden söz edilebilir. Örneğin Peter A. Boodberg, *isitme* olarak okur ve "ateşli" anlamını verir. Bu savının dayanak noktasınıysa, Bizans tarihlerindeki "ateşli" anlamı verilen Dilziboul'a bağlar. Ad, Bizans kaynaklarındaysa *Stembis* olarak kaydedilmiştir. Romalıların sözcük başındaki *i* sesini düşürmeleri için hiçbir neden olmadığı ve Türkçeyle öteki Altay dillerinde söz başında ünsüz çiftinin bulunmamasından ötürü, adın Türkçe olmadığını öne sürenler olmuştur. Ayrıca Türk runik harf sisteminde ön ünlülü *s* ve *ş* sesinin aynı işaretle gösterilmesinden dolayı, *İştemi* veya *Eştemi* biçimlerinde okuyanlar da olmuştur. Ancak yukarıda sözü edildiği üzere, Köl Tegin yazıtındaki yazımın Bilge Kağan yazıtına göre daha doğru olabileceği varsayımından hareket edildiğinde adın, *i* sesiyle başlaması daha doğru bir okuma olacaktır.

Omeljan Pritsak, İstemi'nin Bizans kaynaklarındaki *Silzibulos* biçiminde verilen adını Sir Yabgu olarak belirlemek ister. Jean P. Roux ise daha farklı bir şeyden söz ederek Bizans kaynaklarında adı geçen kağanın İstemi değil, Mugan Kağan olduğunu öne sürer. Bahaeddin Ögel, 1945 yılında yayımlanan "Göktürk yazıtlarının 'Apurım'ları ve 'Fu-lin' Problemi" başlıklı makalesinde, Köl Tegin yazıtında yoğ töreni için sayılan kabile ve kavim adlarının İstemi'nin cenaze töreni için sayıldığını belirtir.

İstemi Kağan'ın adı ve kimliğiyle ilgili Ahmet B. Ercilasun, yazıtlardaki harfleri çözen Thomsen'den hareket ederek Bumın ile Mugan'ın karıştırıldığını, yazıtlarda geçen ünlü cenaze töreninin Bumın'a değil, Mugan'a veya İstemi'ye ait olduğunu savunur. Hatta İstemi'nin adının Sır Temir olması gerektiğini, Çincede *r* sesi olmadığı için Çinlilerin Se-ti-mi dediklerini belirtir. İstemi'nin adıyla ilgili çok fazla ve farklı görüş olmasının asıl nedeninin, Bizans Devleti'yle ilişkileri dolayısıyla Bizans kaynaklarında da geçmesi olduğunu belirtmek gerekir.

630 yılından itibaren Çin boyunduruğuna giren ve Çin'deki Tang Hanedanı tarafından Kuzey Çin'de türlü yerlere yerleştirilen Doğu Köktürkleri başta olmak üzere Türk kökenli boylar, 681 yılında İlteriş Kağan önderliğinde başlayan isyan hareketine kadar, Çin'in kuzey kesiminde bulunan Sarı Irmak'ın güney ve kuzeyinde yaşamaktaydılar. Ancak en büyük emelleri, Orta Moğolistan'ın batı bölümünde yer alan Hangay Dağları bölgesine yani Ötüken'e tekrar kavuşabilmekti. Çünkü Ötüken, rahat bir yaşam sürülebilecek nadide yerlerden biriydi ve boylar arasına her türlü fitneyi sokan Tang Hanedanı'ndan yani Çin'den ve Çinlilerden uzakta bulunmaktaydı.

681 yılında İlteriş Kağan'la başlayan isyan hareketinden önce 630 ila 681 yılları arasında birkaç başarısız isyan girişiminin gerçekleştiği de bilinenler arasındadır. Bu yıllar arasında Çin'de yönetimde olan Sui Hanedanı kaynaklarının sözünü ettiği üzere, İlteriş Kağan'dan önce Ashina Funian (阿史那伏念) ile Ashide Wenfu'nun (阿史德溫傅) başarısız isyan girişimleri Köktürklerin er ya da geç bağımsızlıklarını kazanacaklarına işaret etmekteydi.

İlteriş Kağan'la birlikte başlayan bağımsızlık hareketi sonucunda, Köktürkler başta olmak üzere Türk kökenli boylar, Tang Hanedanı yönetiminin boyunduruğundan kurtulmayı başarmıştı. Bu dönemden 745 yılına kadar uzanan egemenlik sürecine II. Köktürk Kağanlığı veya II. Türk Devleti adı verilmektedir.

İlteriş Kağan'ın adı da öteki Köktürk liderlerinde olduğu eski Türk yazıtlarında tespit edilmiştir. Altısı Tonyukuk, ikisi Ongi, biri Köl Tegin ve Bilge Kağan ve biri de Çoyr yazıtında olmak üzere, toplam on bir kez ele geçmiştir. Babalarının adı olmasına karşın, Köl Tegin ve Bilge Kağan yazıtlarına göre, Tonyukuk yazıtında daha fazla geçmesini yadırgamamak gerekir. Çünkü İlteriş Kağan'ın bağımsızlık mücadelesinde Tonyukuk'un çok özel bir yeri olduğu için, bu yazıtta adı daha sık anılmıştır. Türk runik harfli eski Türk yazıtları içerisinde en eski tarihli olduğu yönünde ortak bir görüş birliğinden söz etmek mümkün olan Çoyr yazıtında İlteriş Kağan'ın adının geçmesi, kuşkusuz yazıtın değerini arttırmaktadır. Çoyr yazıtındaki cümle şöyledir: 5 ve 6. satırlar: *Ėlteriş kaganka* (6) *ögüni sevini barıŋ* "İlteriş Kağan'a (6) övünerek sevinerek gidin! (katılın!)". Adın tüm örneklerindeki yazımı aynıdır: 𐰃𐰠𐱅𐰼𐰾. Yapısı itibarıyla iki sözcükten oluşan ad, "ülkeyi derleyen, toplayan" anlamındadır. Adın, devletin kuruluşundan sonra elde ettiği bir unvan olduğunda kuşku bulunmamaktadır. Çin kaynaklarındaysa *Guduolu* (骨咄祿) ve *Jiedielishi* (頡跌利施) biçiminde yazılmıştır. Bu iki addan ilki, yukarıda da sözü edildiği üzere Türkçe *kutlug* sözcüğünün Çince telaffuzu olmalıdır. *Jiedielishi* olarak kayıtlara geçen adınsa şahsî adı olması güçlü bir olasılık olarak görünmektedir.

İlteriş Kağan ve Tonyukuk başta olmak üzere beyler ve komutanlar, devletin inşası için seferber olmuş ve halkını tekrar Ötüken'e, Kuzey Çin'de Sarı Irmak civarından Orta Moğolistan'ın batı kesimlerine yani eski topraklarına geri götürmüştü. İlteriş Kağan'ın 692'de ölümünden sonra oğulları Bilge'nin sekiz, Köl Tegin'inse yedi yaşında olması, dolayısıyla devleti yönetebilecek yaşlarda olmaması nedeniyle töre gereği, geçici olarak İlteriş Kağan'ın kardeşi Kapgan Kağan tahta geçmişti. Çin kaynaklarında adı *Mochuai* (默啜) olarak tespit edilen Kapgan Kağan, 716 yılında bir Bayırku askeri tarafından öldürülünceye kadar, II. Köktürk Devleti'ni en geniş sınırlara ulaştırmayı başarmıştı.

Kapgan Kağan'ın adı da Türk runik harfli eski Türk yazıtlarında çeşitli vesilelerle anılmıştır. Kağan'ın adı, *kapgan* biçiminde üçü Tonyukuk, biriyse Ongi yazıtında olmak üzere toplam dört kez tespit edilmiştir. Tonyukuk yazıtında, 2. taş doğu yüzü 1. satır, 2. taş kuzey yüzü 2 ve 3. satırda ele geçmiş olup üç örnekte de sözcük içindeki ünlüler yazılmamıştır: 𐰴𐰯𐰍𐰣. Ongi yazıtının doğu yüzünün 4. satırındaki yazım da aynı olup yine içteki ünlüler yazılmamıştır. Burada sorulması gereken soruysa şudur: Bilge Kağan, amcası Kapgan'ın adını neden anmamış olabilir? Her ne kadar Kapgan Kağan, yasalara uygun olarak ölen ağabeyinin çocuklarının devleti yönetecek kadar büyük olmamasından dolayı, yönetimi devralmış olsa da Bilge Kağan bundan rahatsızlık duymuş olabilir mi?

Bilge Kağan yazıtının doğu yüzünün 35. satırında bulunan cümlede, Bilge Kağan'ın, amcası Kapgan Kağan'a üstü kapalı sitem ettiği düşünülebilir. Cümle şöyledir: *Üze teŋri ıdok yėr suw [ėçim] kagan kutı taplamadı erinç* "Yukarıda (ebedî) gök, kutsal yer su (ruhları), amcam kağanın kutunu onaylamadı elbette." Cümlede yer alan *ėçim kagan kutı* belirtisiz isim tamlamasını, Kapgan Kağan'ın yaptığı bir eylemi hem Tanrı'nın hem de yer su ruhlarının onaylamadığı şeklinde anlamak gerekir. Bu üstü kapalı ifade edilen cümlede, oğul Tengri Kağan, babasının ağzından sarf ettiği cümlede, amcası Kapgan Kağan'ın, kendi oğlu İnel'i tahta varis göstermesinden dolayı sitemini, daha yumuşak ve devlet terbiyesine uygun olarak ifade etmiş olmalıdır. Dolayısıyla Bilge Kağan'ın yazdırdığı Köl Tegin yazıtıyla Tengri Kağan'ın yazdırdığı Bilge Kağan yazıtında Kapgan'ın adının yalnızca *ėçim kagan* 'amcam kağan' diye geçiştirilmesi buna bağlanabilir. Bu arada Bilge Kağan'ın, doğrudan kendi düşünceleriyle siyasetini anlamaya imkân veren Köl Tegin yazıtında herhangi bir şey söylememesini duygusal bir kişiliğe sahip olmasıyla açıklamak mümkün görünmektedir. Dolayısıyla Tengri Kağan'ın babası Bilge Kağan'a göre daha sert bir kişiliğe sahip olduğu kendiliğinden ortaya çıkmaktadır.

Kapgan Kağan'ın kendinden sonra, kağanlık için oğulları İnel, Tonga Tegin ve Yogashi arasından İnel'i tahta varis göstermesi, yeğenlerini saf dışı bırakmaya çalışması elbette bozkırdaki devlet yönetimi gelenekleriyle bağdaşmamaktadır. Kapgan Kağan'ın oğlu İnel'in adı, Türk runik harfli eski Türk yazıtları içerisinde yalnızca Tonyukuk yazıtının 1. taşın kuzey yüzünün 7. satırı ve 2. taşın güney yüzünün 1. satırında olmak üzere iki kez İnel Kağan olarak tespit edilmiştir. Bu kağanın adı, Çin kaynaklarında Tuoxi/Taxi (拓西), şahsî adınınsa Fuju (匐俱) olduğu kayıtlıdır. İnel'in adıyla ilgili bir başka sıra dışı durum, Tonyukuk yazıtında iki kez İnel Kağan olarak anılmasıdır. Kapgan Kağan'ın, ordunun başında bulunduğu batı seferi sırasında, İnel'in adını, henüz kağan olmadığı hâlde İnel Kağan olarak anıp Bilge Kağan'ıysa, adını anmadan yalnızca Tarduş Şad olarak ifade etmesi, zaten Tonyukuk'un Kapgan'dan sonra İnel'i kağan olarak düşündüğünü açığa vurmakta, dolayısıyla kağanlık için içinden geçenleri ifade etmiş olmaktadır.

Kapgan'ın ölümünden sonra Tonyukuk'un da İnel'i desteklemesi sonucunda Köl Tegin, ağabeyinin hakkı olan tahtı geri almak için mücadele içerisine girmiş ve İnel Kağan'la maiyetindekileri tek tek yok etmiş, bir tek Tonyukuk'a dokunmamıştı. Tonyukuk'un kıl payı kurtulmasının nedeniyse, ağabey Bilge Kağan'ın kayınpederi olmasıydı. Tonyukuk'un Bilge Kağan'ın kayınpederi olduğu, Çinlilerin verdiği bir bilgidir ve eski Türk yazıtlarında bu bilgiye rastlanmamıştır.

Köl Tegin'in, İnel Kağan ve yanındakileri kılıçtan geçirerek ağabeyi Bilge'yi tahta oturttuğunda tarih 716 yılını göstermektedir. Bilge Kağan, 716 yılından, maiyetinde bulunan Meilu Çor (梅錄啜) adındaki bir kişi tarafından zehirlendiği 734 yılına kadar Köktürk tahtında toplam on dokuz yıl kaldığı, oğlu Tengri Kağan tarafından yazdırılan Bilge Kağan yazıtında da ifade edilmiştir: Bilge Kağan yazıtı güney yüzü 9. satır: *Men tokuz yėgirmi yıl şad olortum toku[z yėgir]mi yıl kagan olortum* "Ben on dokuz yıl şad olarak görev yaptım. On dokuz yıl kağan olarak tahtta kaldım."

Bilge Kağan'ın ölümünden sonra, devletin o eski görkemli günlerinden uzaklaştığını belirtmek gerekir. Aynı zamanda Tonyukuk'un kızı olduğu bilinen, eşi Pofu (婆匐) Hatun'un yönetime müdahale etmesi, bağlı boyları rahatsız etmekteydi. Köktürklerin son dönemleri hakkında Çin kaynaklarındaki bilgiler göz ardı edildiğinde, Uygur Kağanlığı'nın yazıtlarında çok değerli bilgilerin bulunduğunu belirtmek gerekir. Örneğin Tariat yazıtında, Uygurların Köktürkleri karıştırmaya başladığı tarihin 741 olduğu ifade edilmiştir. Tariat yazıtı doğu yüzü 5. satır: *Sekiz otuz yaşıma yılan yılka türük ėlin anta bulga<t>dım anta artatdım* "Yirmi sekiz yaşımda, yılan yılında (741) Kök Türk yurdunu, orada karıştırdım (ve) orada bozguna uğrattım."

Uygur Kağanlığı yazıtlarından Tes, Tariat ve Şine Usu'dan elde edilen bilgiler, kuşkusuz Köktürklerin son dönemine önemli derecede ışık tutmaktadır. Özellikle Köktürklerin son kağanlarından Ozmış'ın adı, toplam üç kez (Tariat yazıtı doğu yüzü 6 ve 9. satır, Şine Usu yazıtı kuzey yüzü 9. satır) tespit edilmiş olup üç örnek de Uygur Kağanlığı yazıtlarında ele geçmiştir. Eğer Tariat ve Şine Usu yazıtlarında Ozmış Kağan'ın adı geçmeseydi, Çinlilerin verdiği Wusumishi (烏蘇米施) biçimiyle bilinecek ve Kağan'ın adının ne olduğu belki uzun zaman tartışılacaktı.

I. Köktürk Kağanlığı (552-630) döneminden kalan ve Türk runik alfabesiyle yazılmış herhangi bir metin ele geçmemiştir. Ancak başka alfabelerle yazılmış ve dilleri Türkçe olmayan üç yazıttan söz etmek gerekmektedir: Bugut, Zhaosu (Mongolküree) ve Hüyis-Tolgoy yazıtları. Bunlardan Bugut yazıtının 572-581 yılları arasında kağanlık tahtında bulunan Taspar (Tatpar?) Kağan tarafından yazdırılıp ve diktirildiği genel kanaattir. Bugün Moğolistan'ın Arhangay eyaletinin Çeçerlek kasabasındaki müzenin bahçesinde bulunan bu yazıt, Soğd ve Sanskrit harfleriyle yazılmış olup dili de Soğdca ve Sanskritçedir. I. Köktürk Kağanlığı'yla ilgili verdiği bilgiler değerli olsa da Soğdca ve Sanskritçe yazıldığı için Türkçenin en eski belgesi olarak kabul etmenin bir anlamı bulunmamaktadır.

İkinci yazıt, Çin Halk Cumhuriyeti'nin kuzeybatısındaki Doğu Türkistan sınırları içerisinde yer alan İli Kazak eyaletinin, Çince Zhaosu (昭苏), Moğolca Mongolküree adıyla bilinen kasabasında bulunmuştur. Hem Wusunların hem de Batı Köktürklerinin egemen olduğu bu bölgede ele geçen yazıt da Soğd harflidir ve Türkçenin tarihî dönemlerine ışık tutacak nitelikte değildir.

Üçüncü yazıtsa Hüyis-Tolgoy adıyla bilinmekte olup Moğolistan'da bulunmuş ve koruma altına alınmıştır. Bu yazıtla ilgili yakın zamanlarda yeni okuma ve anlamlandırmalar yapılmıştır. Yazıtla ilgili yapılan son çalışmalarda yazıtın dilinin erken Moğolca örneği olabileceği yönünde bir gayretten söz edilebilir.

Bu üç yazıtın neden Soğd ve Sanskrit harfleriyle ve dilleriyle yazıldığına dair türlü gerekçeler ileri sürülmüştür. Köktürkçe veya Orhon/Orhun Türkçesi denilen dilin bu dönemde yazı dili olup olmadığı tartışılmıştır. Dönemin en ünlü tüccar kavmi Soğdluların diliyle yazılması, anlaşılabilir kimi gerekçeler ileri sürülmesine neden olsa da bir devletin anılarının başka bir milletin alfabesi ve diliyle yazılmasının hiçbir tutarlı açıklaması olamaz. Soğdluların ticaret ve kültürel alanlardaki maharetlerinden dolayı, Soğdcanın kullanılması bir gerekçe olarak sunulabilir. Bu durum, Türk runik alfabesinin bu tarihlerde henüz icat edilmediğini öne sürenleri de hâliyle haklı çıkarmaya yetmektedir.

Uygur Kağanlığı

Çin kaynaklarında, Uygurların soyunun Xiongnu'lardan (匈奴) yani Hunlardan geldiği, Tiele (鐵勒) konfederasyonu içerisinde olduğu, göçebe bir hayat sürdürdüğü, Köktürkler yönetimi ellerine geçirdiğinde hep Uygurlardan yararlanıldığı ve bu sayede Köktürklerin, kuzeyde büyük devlet kurabildiği kaydedilmiştir. Tang Hanedanı'nın en önemli kaynağı Eski Tang Tarihi'nin (Jiu Tangshu 舊唐書) verdiği bilgiye göre Uygurlar Orhon Irmağı'nın kuzeyindeydiler; doğularında bir ova, batılarında Ötüken, 700 li kadar kuzeylerindeyse Selenge Irmağı bulunmaktaydı.

Jieli (頡利) Kağan döneminden, İlteriş Kağan'ın Tonyukuk'la birlikte bozkırdaki egemenliği ele geçirmesine kadar geçen ara dönemde İç Asya bozkırlarında bir boşluk olduğu kuşkusuzdur. Jieli Kağan'ın Çin'e karşı yumuşak tutumu, hâliyle bağlı boyları rahatsız etmekteydi. Aşağı yukarı bu dönemlerde bir araya gelen Dokuz Oğuz boyları, Jieli Kağan'a isyan etmişler ve başarılı olmuşlardı. II. Köktürk Kağanlığı'nın 630'dan itibaren Çin yönetiminde yaşamaya başlamasıyla bozkırda oluşan yönetim boşluğu Dokuz Oğuzlar tarafından doldurulmuştu.

Uygurların adı, 627 yılında vergilerin arttırılması üzerine Köktürklere isyan eden boylar arasında da anılmaktadır. O sıralarda Pusa (菩薩) adında bir kimsenin emri altında yaşayan Uygurlar, Xue Yantuolarla (薛延陁) birlikte Köktürklerin kuzey bölümlerini işgal etti. Köktürk Kağanı Jieli, oğlu Yugu Şad komutasındaki yüz bin kişilik orduyu üzerlerine gönderdi. Ancak başarı elde edemedi. Bundan, Uygurların büyük bir saygınlık kazandığı sonucunu çıkarmak mümkündür. 627-649 yılları arasındaysa

Jieli Kağan hapsedilince kuzeyde Uygurların lideri Pusa ve Xue Yantuolardan başka güçlü kimse kalmamıştı. Pusa'nın ölümünden sonra Tumidu (吐迷度) adlı Uygur beyi, öteki birliklerin yardımıyla Xue Yantuoları bozguna uğrattı. Onların topraklarını ele geçirdi. Ardından Çin'e elçiler göndererek elde ettikleri saygınlığı pekiştirmek istediler.

Liu Mau-tsai'nin verdiği bilgiye göre, Tang Hanedanı imparatoriçesi Wu Zetian (武則天) (690-704) zamanında, Kapgan Kağan güçlenip Tielelerin eski bölgesini ele geçirdiğinde Uygurlar, Qibi (契苾), Sijie (思結) ve Hun (渾) boylarıyla Gobi Çölü'nü geçerek Kuzey Çin'in önemli kentlerinden Ganzhou (甘州) ve Liangzhou (涼州) arasındaki bölgeye yerleşti. Ancak Tang Hanedanı yönetimi, onların güçlü atlılarını askere alıp orduyu güçlendirdi. 716 yılında da Kapgan Kağan'a saldıran Tang yönetimini desteklediler.

Bilge Kağan'ın ölümünün ardından II. Köktürk Kağanlığı'nda karışıklıklar çıkması dolayısıyla, Bilge Kağan'ın tahta geçen oğlu Tengri'nin, çok genç olması dolayısıyla annesi Pofu, devlet yönetimine müdahale etmekteydi. Pofu ve Tengri, batıdaki şadı öldürünce durumdan haberdar olan sol kanat şadı, Tengri'yi öldürüp tahta Bilge'nin bir başka oğlunu geçirdi. Basmıllar tarafından öldürülen bu yeni kağandan sonra, bu kez Bilge'nin bir başka oğlunu tahta geçirdiyse de bir türlü başarılı olamadı. Çin'in Karluk, Basmıl ve Uygurları tahrik etmesiyle bu üç boy, Basmılların öncülüğünde ayaklandı. 742 yılında Uygur, Karluk ve Basmılların ayaklanmasıyla tahta, Basmıl Reisi Xiedieyishi'yi (頡跌伊施) kağan olarak seçtiler. Ardından Uygur ve Karluk Reisleri kendilerini sağ ve sol yabgu ilan ettiler.

744'te Basmıllar ve diğerleri, Köktürk Kağanı Ozmış'ı öldürerek başını Tang Hanedanı'nın başkenti Chang'an'a (長安) gönderdiler. Sonra tahta Baimei (白眉) Kağan çıktı. Uygur, Karluk ve Basmıl ittifakı üyelerinin arası açılınca Uygur ve Karluklar, Basmılların kağanını ortadan kaldırdı ve Uygurlardan Kutlug Bilge'yi kağan olarak seçti. 745'teyse Baimei Kağan'ı öldürüp başını Çin hükümdarına sundular.

Uygurların lideri, bu önemli başarıdan sonra Kutlug Bilge unvanıyla kağan oldu. Kutlug Bilge Köl Kagan, 745 yılında II. Köktürk Kağanlığı'nın son Kağanı Baimei Kağan'ı öldürünce Uygur Kağanlığı dönemi resmen başladı. 747

yılına kadar bozkırı idare eden Kutlug Bilge Köl Kağan, 747 yılında ölünce yerine oğlu Moyan Çor Kağan tahta geçti.

Moyan Çor, kağanlığının ilk zamanlarında babası Kutlug Bilge Köl Kağan'ın yabgu olarak atadığı ve Şine Usu yazıtında epeyce yer ayrılan Tay Bilge Totok'la uzun mücadelelere girmiş ve onu ortadan kaldırmayı başarmıştı. Moyan Çor, babasıyla birlikte temellerini attığı devleti, Tay Bilge Totok'tan temizledikten sonra Karluk, Çik, Kırgız, Basmıl ve Tatarlarla mücadele etti. Bozkırda uzun süredir kaybolan egemenliği yeniden sağladıktan sonra, bundan önceki kağanların da sıklıkla yaptığı gibi diplomatik, askerî ve ekonomik alanlarda Tang Hanedanı'yla iyi ilişkiler kurmaya başladı.

755'te ortaya çıkan An lushan (安祿山) isyanı, Tang Hanedanı'nı parçalanma noktasına getirmiş büyük bir olay olarak değerlendirilmektedir. İlk zamanlar aç ve ümitsiz köylü hareketi gibi anlatılan bu isyanın altında, kimi siyasi nedenlerin de olduğu ortaya konmuştur. Her iki başkenti de isyancıların eline geçen Tang Hanedanı hem Uygurlardan hem de Tibet'ten yardım istemiş; Uygurlar, Moyan Çor'un oğlu olan ve Çin kaynaklarında adı Yehu (葉護) olarak anılan Bilge Tarkan Kutlug Bilge Yabgu komutasında bir ordu göndermiş ve uzun süren mücadelelerin ardından Çin'in her iki başkenti de isyancılardan geri alınmıştı. An lushan isyanından en kârlı çıkan herhâlde Uygurlar olmuştur. Uygurları yardıma çağıran İmparator Tang Suzong (唐肅宗) (756-762), belki de Uygurlardan yardım istemekle bilmeden onları bozkırın en güçlüsü hâline getirmişti. Ancak hem Luoyang hem de Chang'an'ı ele geçiren isyancıları durdurmanın tek yolu bozkırdaki egemen güç Uygurlardı. Tang Hanedanı'nı isyancıların elinden kurtaran Moyan Çor'un, Çin sarayındaki nüfuzu bu sayede artmış ve her iki başkent Luoyang ve Chang'an'de rahatça hareket etmeleri için fırsat çıkmıştı.

Uygur Kağanlığı, en görkemli günlerini Moyan Çor Kağan zamanında yaşamıştır. Kağanın adı, Bayan Çor veya Moyun Çor biçiminde Türkçeleştirilmek istense de Çince *Moyan* (磨延) ifadesinin Türkçe *bayan* veya *moyun* olduğunun daha fazla örneklenmesi gerekmektedir. Üstelik *moyun* ifadesiyle ne kastedilmek istendiği de belirlenmelidir. Çünkü eski Türk yazıtlarında kağanın adı, unvan biçimiyle verilmiştir. Tariat yazıtı güney yüzü 6. satır: *Teŋride bolmış ėl ėtmiş bilge kagan* "Tengride Bolmış El Etmiş Bilge Kağan". Buna göre; Uygur Kağanlığı'nın ikinci hükümdarının Türkçe adı unvan biçimiyle verilmiş olup asıl adının ne olduğu bilinmemektedir. Bu nedenle bu kağanın Türkçe adını tam olarak ortaya koyana kadar, Çin telaffuzuyla Moyan Çor olarak söylemek en uygun olanıdır.

Moyan Çor öldükten sonra yerine, büyük oğlu daha önce öldürüldüğü için, küçük oğlu Bögü (Mouyu 牟羽) geçer. Bögü Kağan zamanında Uygurların Çin'deki nüfuzu daha da artar. Hatta Çin imparatoru başkentte yaşayan Uygurlara özel bir ilgi göstermeye başlar. Bögü'nün unvanı *Tengride Bolmış El Tutmış Alp Külüg Bilge Kagan*'dır. Çin kaynaklarının verdiği bilgilere göre, ülkesine dönen Bögü Kağan, yanında dört Mani rahibiyle yola çıkar. Çin'de kovuşturmaya uğrayan ve bir türlü barınamayan Manihaizmin, Bögü Kağan'ın 762'de Manihaizm resmen kabul etmesiyle bozkırda başarılı olduğu öne sürülebilir.

Bögü Kağan'ın Mani dinini kabul etmesi, Uygurlar üzerindeki Soğd etkisinin artmasına neden olur. 779'da Soğdlular, Çin Hükümdarı Tang Daizong'un (唐代宗) (762-779) ölümü üzerine ilan edilen büyük yastan yararlanıp Çin'i işgal etmesini Kağan'a tavsiye eder. Bögü Kağan bu teklifi kabul eder ancak Tun Baga'nın muhalefetiyle karşılaşır. Kağanı ikna edemeyen Tun Baga Tarkan, onu ve etrafındaki Soğdlu taraftarları öldürtür ve kendisi *Alp Kutlug Bilge Kagan* unvanıyla tahta geçer. Bu kez Soğd aleyhtarı fakat Çin yanlısı bir siyaset başlar. Böylelikle 745'ten beri devam eden Yaglakar Hanedanı, 780'de Tun Baga Tarkan'ın, Bögü Kağan'ın tüm yakınlarını ortadan kaldırarak tahtı ele geçirmesiyle sona erer. Alp Kutlug Bilge Kağan'ın ölümünden sonra *Ay Tengride Kut Bulmış Külüg Bilge Kagan* adıyla oğlu tahta geçer.

II. Köktürk Devleti'nin ardından İç Asya bozkırlarında Uygur Kağanlığı'nı kuran Uygurlar da tıpkı Köktürkler gibi Türk runik harfli yazıtlar bırakmıştır. Uygur adı Türk runik harfli eski Türk yazıtlarında on kez tespit edilmiştir. Bunlardan Şine Usu yazıtının kuzey yüzünün 3. satırında *on uygur*; Bilge Kağan yazıtının doğu yüzünün 37. satırı, Tes yazıtının batı yüzünün 4, kuzey yüzünün 1, 5, doğu yüzünün 1, güney yüzünün 4. satırı, Tariat yazıtının kuzey yüzünün 2. satırı, Suci yazıtının 1. satırı ve Yenisey bölgesinden İyme I (E 73) yazıtının 7. satırındaysa *uygur* olarak tespit edilmiştir.

Uygur adının geçtiği yazıtlar içerisinde tarih bakımından en eski kayıt, Bilge Kağan yazıtının doğu yüzünün 37. satırı olmalıdır: *[anta süŋü]şdüm süsin sançdım içikigme içikdi bodun boltı ölügme ölti seleŋe kudı yorıpan karagan kısılta ewin barkın anta buzdum <...> yışka agdı uygur ėltewer yüzçe erin il[gerü tezip bardı]* "orada savaştım. Askerlerini mızrakladım. Tâbi olanlar tâbi oldu, halk oldu. Ölenler öldü. Selenge Irmağı (boyunca) aşağı doğru ilerleyip Karagan Geçidi'nde evini barkını orada yıktım <...> (ormanlı) dağlarına tırmandı. Uygur ilteberi yüz kadar adamıyla doğuya doğru kaçıp gitti."

Yenisey bölgesindeyse yalnızca İyme I (E 73) yazıtının 7. satırında tespit edilen Uygur adının geçtiği satır şöyledir: *Teŋr<i> ėlimke er erdemim üçün uygur kanda berü kel[tim]* "Kutlu yurduma, erkeklik kahramanlığım için Uygur kağanından geri geldim." Bu yazıtın Uygur Kağanlığı döneminde Uygurlara gönderilen bir elçiye ait olması güçlü bir olasılıktır.

Uygur Kağanlığı'ndan kalan yazıtların Türk tarihi açısından kuşkusuz en önemli tarafı, Köktürk Devleti'nin son yıllarında cereyan eden olaylar hakkında bilgi verilmesidir. Tes, Tariat, Şine Usu ve I. Karabalgasun yazıtları, dönemin kağanları tarafından yazdırılıp diktirildiği için Uygur Kağanlığı'nın kağanlık yazıtları olarak değerlendirilmektedir.

Kağanlık yazıtları dışında, Uygurlardan hangi yazıtların kaldığı konusunda türlü görüşler bulunmaktadır. Ancak Tes, Tariat, Şine Usu, I. Karabalgasun, Hoyto-Tamır, Sevrey, Karı Çor Tegin (Xi'an), Suci, II. Karabalgasun, Arhanan ve Gurvaljin-uul yazıtlarının Uygurlar tarafından yazdırıldığı konusunda bir görüş birliğinden söz edilebilir. Bu on bir yazıttan Tes, Tariat, Şine Usu, I. Karabalgasun, Hoyto-Tamır, Sevrey ve Karı Çor Tegin (Xi'an) yazıtlarını kesin; Suci, II. Karabalgasun, Arhanan ve Gurvaljin-uul yazıtlarınıysa şüpheli olarak değerlendirmek uygun olacaktır.

İKİNCİ BÖLÜM

TÜRK RUNİK ALFABESİ, KÖKENİ VE ADLANDIRILMASI

Türk runik alfabesi otuz sekiz işaretten oluşmaktadır. Yenisey, Dağlık Altay ve Kırgızistan gibi az satırlı yazıtların bulunduğu bölgelerde kullanılan harflerin farklı biçimleriyle birlikte bu sayı kırka kadar çıkar. İşaretler genellikle tek bir harfi karşılar ancak bazı işaretler, birden fazla sesi karşıladığı için harf yerine işaret demek daha doğrudur.

Bu işaretlerin dördü, sekiz ünlüyü göstermede kullanılmaktadır. Kapalı *ė* ünlüsünü göstermek için ayrı bir işaret bulunmamakla birlikte, bu harf kimi zaman yazılmaz kimi zaman da ya *a/e* ünlülerini göstermede kullanılan işaretle veya *ı/i* ünlülerini göstermede kullanılan işaretle yazılır. Yenisey yazıtlarındaysa kapalı *ė* sesini göstermek için ayrı bir işaret bulunmaktadır. Bu işaret her yazıtta kullanılmamakla birlikte, ayrı bir işaretle gösterilmesi, yazı tarihi için olduğu kadar Türkçenin ses bilgisi tarihi için de kuşkusuz değerlidir.

Moğolistan'da bulunan ve kağanlarla devletin ileri gelenleri tarafından yazdırılan Köl Tegin, Bilge Kağan, Tonyukuk, Ongi ve Küli Çor gibi çok satırlı yazıtların dışındaki daha küçük ve az satırlı yazıtlarda kimi ünsüzleri göstermek üzere başka harf biçimleri de kullanılmıştır. Bu durum, daha çok Yenisey, Dağlık Altay, Kırgızistan bölgesi yazıtlarıyla Moğolistan'daki küçük yazıtlar için söylenebilir.

Uygur Kağanlığı'ndan kalan ve kağanlık yazıtları olarak nitelendirilebilecek Tes, Tariat ve Şine Usu yazıtlarındaki harfler de II. Köktürk Kağanlığı'ndan kalan yazıtlardaki harflerle hemen hemen aynıdır.

Türk runik alfabesinin kökeni ve ne zaman icat edildiği konusunda henüz tatmin edici bir sonuca ulaşılamamıştır. Harflerin Vilhelm Thomsen tarafından çözülmesinin ardından, kökeni ve ne zaman icat edildiği gibi konular üzerine yoğunlaşan ilk araştırmacılar, İskandinav runlarının alfabesiyle benzerliği öne sürülmüş ve dolayısıyla runik adlandırması o zamanların eseri olarak bugüne kadar ulaşmıştır. Örneğin Axel O. Heikel bu görüşe sahipti. Otto Donner'in önerisiyse, Yenisey harfleriyle Anadolu ve Ön Asya'daki Yunan yazı sisteminden geliştirilmiş harflerle, özellikle Likya ve Karya harfleri arasında benzerlik olduğu yönündedir.

Harfleri çözmeyi başaran Vilhelm Thomsen tarafından öne sürülen, eski İran dillerinden Arâmî, Soğd, Pehlevî ve özellikle Arâmî kökenli olduğu, ilk zamanlardaki yaygın görüşlerden biri olarak değer kazanmaktadır. Thomsen, alfabenin bağlantısının Kuzey veya Güney Avrupa'da aranmasını benimsemez. Ancak harflerin yabancı kaynaklı olduğunu kabul etmekle birlikte, İran bölgesi kaynaklı olabileceğini ve dolayısıyla Arâmî kökenli olduğu kanaatini taşır. Thomsen, Arâmî alfabesindeki harflerle Türk runik harflerini bir tablo üzerinde karşılaştırır ve satırların yukarıdan aşağıya, satır sıralarınınsa sağdan sola doğru yazılmasını Çincenin taklidi olarak değerlendirir.

T. De Lacouperie'yse alfabenin Indo-Baktriya ve Himyerite harflerinin uyarlaması olduğunu öne sürer ancak Thomsen, De Lacouperie'nin bu görüşünü Indo-Baktriya harflerindeki ancak birkaç harfin benzemesini gerekçe göstererek eleştirir. Thomsen, daha sonra Clauson'un da ifade edeceği üzere, alfabenin altıncı yüzyılın ortalarında, Batı Köktürk Kağanı İstemi'nin Bizans'la ilişkileri sonucunda icat edildiği kanaatini taşır. Türk runik harf sisteminin çözülmesinde büyük bir emek harcayan Wilhelm Radloff ise Arâmî kökenli olduğu yönündeki görüşü benimsemekle birlikte, run sisteminin etkisini taşıdığı kanaatini de belirtir.

Alfabenin kökeniyle ilgili üzerinde en çok konuşulanlardan biri N. A. Aristov ve N. G. Mallitskiy'nin öncülük ettiği, harflerin damgalardan çıktığı görüşüdür. D. N. Sokolov ise alfabenin Arâmî asıllı olduğunu ancak Türkler tarafından kendi tarzlarına uydurulduğunu önerir. Polivanov'un görüşüyse Sokolov'unkine benzemekle birlikte, onun daha çok damgalardan icat edildiği kanaatini taşıdığını belirtmek gerekir. Ahmet Caferoğlu ise ideografik devrede eşya işaretlerinden söz ederek bunların ileriki devrelerde harflere dönüştüğünü belirtir. Yani harflerin resim yazıdan icat edildiği kanaatindedir.

Alfabenin kökeniyle ilgili en önemli çalışmalardan birisi kuşkusuz Clauson'a aittir. Ona göre bu alfabe sistemi, Batı Köktürklerin lideri İstemi Kağan'ın Bizans Devleti'yle diplomatik ve ticari ilişkileri sayesinde alfabeye ihtiyaç duyulmasından dolayı icat edilmiş olmalıdır. Clauson, ayrıca Türklerin çok dindar ve tüccar bir halk olmadığını, bu nedenle bu yazı sisteminin dinî veya ticari amaçlar için icat edilmiş olamayacağını, devletlerarası ilişkiler ve kayıt tutma gereksiniminin temel etken olduğunu belirtir. Clauson'un bu görüşü, yani alfabenin icadını yedinci yüzyılın ortalarında görmesi, sonraki araştırmacıların da benimsediği bir görüş olarak değer kazanır.

Alfabenin kökeni hakkında müstakil bir yazı yayımlayan Vladimir A. Livşiç ise, Clauson'un bu tarihlendirmesinin yeterince kanıtlarla desteklenmediği kanaatindedir. Ayrıca alfabe sisteminin çizgi yazı temelli olduğunu, taşa kazıyabilmek için icat edildiğini ifade eder. Dahası altıncı yüzyılın son bölümlerinde dikilen Bugut yazıtının Soğd harfleriyle yazılmasını, bu alfabenin henüz ortaya çıkmadığı biçiminde anlamak gerektiği kanaatinde olduğunu belirtir. Edward Tryjarski'yse, alfabenin Soğdlulardan alındığı görüşünü benimsemez ve aksine bu harflerin farklı zamanlarda ve farklı yerlerdeki hanların ve beylerin arzuları ve kararları doğrultusunda ortaya çıkmış ve zamanla gelişmiş olabileceğini düşünür.

Masao Mori, Köktürk lideri Qimin (啟民) Kağan'ın Çin'deki Sui Hanedanı Hükümdarı Sui Yangdi'ye (隋煬帝) gönderdiği mektubu değerlendirerek anlam ve üslup bakımından bu tip bir mektupla daha önce karşılaşılmadığını, bu nedenle mektubun önce Türk runik alfabesiyle yazılıp ardından Çinceye çevrilmiş olabileceğini öne sürer. Mori'nin bu değerlendirmesi kuşkusuz önemlidir çünkü eğer 607 tarihli mektubun, önce Türk runik harfleriyle Türkçe yazılıp daha sonra Çinceye çevrildiği kabul edildiğinde, bu alfabenin en geç yedinci yüzyılın başlarında kullanılmış olabileceği ortaya çıkmaktadır.

Viktor Guzev ve Sergey G. Klyaştornıy alfabenin ortaya çıkışını, kendiliğinden doğma (otokton) olarak değerlendirir. Alfabenin kökeniyle ilgili Ferhad Maksudov ve Gaybullah Babayar ise alfabedeki kimi harflerin Soğd yazısından alındığını, bir bölümününse Türklerin kendi buluşları olarak resim-yazıdan meydana getirildiği kanaatindedir.

Yukarıda görüldüğü gibi her araştırmacı farklı bir köken temelinden icat edildiğini öne sürmüştür. Köken önerilerinin bu kadar farklı ve çok olmasının nedeni, herhangi bir alfabe sistemine tam olarak benzememesinden kaynaklanmaktadır. Türk runik alfabesinde yer alan harflerin resim-yazıdan elde edildiği görüşü doğru değildir. Belki en azından bir ikisinin resim-yazıdan geliştirilmiş olduğu düşünülebilse de bunu tüm harfler için söylemek mümkün değildir.

Yazı sisteminin alfabe kökenli olduğu, yani damgalardan geliştirilmediği, aşağıdaki örneklerden rahatlıkla anlaşılabilmektedir. Türkiye Türkçesinde kullanılan Latin temelli yeni Türk harflerinden örnek verilecek olursa; *b*'nin sola ayna pozisyonu *d*; *d*'nin yukarıya doğru ayna pozisyonu *q*; *q*'nun sağa ayna pozisyonuysa *p*'dir. Bu örnekleme, Türk runik harflerine uygulandığında şöyle bir tablo ortaya çıkacaktır: Ön ünlülü *t* (𐰅) harfinin sola ayna pozisyonu art ünlülü *k* (𐰴); art ünlülü *k*'nin yukarıya doğru ayna pozisyonu art ünlülü r (𐰺); art ünlülü *r*'nin sağa ayna pozisyonu *ö/ü* (𐰇) ünlüsünü gösteren işarettir. Bu örnekleme, yazı sisteminin temelinin alfabe kökenli olduğuna işaret etmektedir.

Bir başka kanıt da ön ünlülü *b* sesini göstermede kullanılan harf (𐰉) ile ön ve art biçimleri bulunmayan *m* (𐰢) harfinin birbirine aşırı benzemesi, hatta *b* (𐰉) harfinin sağa doğru yatırılmasıyla *m* (𐰢) harfinin elde edilmesi elbette rastlantı değildir. Çünkü *b* ve *m* sesleri, ağızdan çıkış yerinin aynı veya yakın olması dolayısıyla aynı tip ünsüzler olarak değerlendirilir ve bu iki sese dudak ünsüzü adı verilir. Dolayısıyla, bu iki sesin birbirine bu kadar benzemesi, alfabeyi icat etme komisyonunda mutlaka genel dil bilimi ve Türkçenin dil bilgisi konularından anlayan bir kimsenin bulunduğunu da göstermektedir.

Harfleri taş üzerine işlemenin güçlüğü göz önüne alındığında, yazımda tasarruf elde edebilmek için, Türkçede çok kullanılan ve daha çok sözcüğün sonu ve ekin başındaki harflerin iki kez değil de bir kez yazılabilmesi için, kimi harflerin icat edildiği öne sürülebilir. Örneğin *nt* (𐰦), *nç* (𐰨), *lt* (𐰡), *ok/uk, ko/ku* (↓,↑).

Aşağıdaki tabloda Türk runik alfabesindeki harfler ve bunların ses değerleri verilmiştir:

Ünlüler	
Harfler	**Ses karşılıkları**
𐰀 𐰁	a, e
𐰅 (Yenisey)	ė (kapalı e)
𐰃	ı, i
› › ‹	o, u
𐰇 𐰈	ö, ü
Ünsüzler	
Harfler	**Ses karşılıkları**
𐰉 𐰊	b (kalın)
𐰋 𐰋 𐰌	b (ince)
𐰲	ç
𐰑 𐰑 𐰒	d (kalın)
X +	d (ince)
𐰍 𐰍 𐰎	g (kalın)
𐰏 𐰐	g (ince)
𐰴	k (kalın)
𐰚 𐰛 𐰜	k (ince)
𐰞	l (kalın)
Y	l (ince)
𐰢 𐰢 𐰣 𐰣	m

𐰣	n (kalın)
𐰤 𐰥	n (ince)
𐰭 𐰭 𐰬 𐰬	ŋ (ng)
𐰪	ñ (ny)
𐰯	p
𐰺	r (kalın)
𐰼 𐰼	r (ince)
𐰽 𐰽	s (kalın)
𐰾	s, ş (ince)
𐰿 𐰿 𐰿 𐱀	ş (kalın)
𐱃 𐱃 𐱄	t (kalın)
𐱅	t (ince)
𐰖 𐰗	y (kalın)
𐰘 𐰘 𐰙	y (ince)
𐰕 𐰔 𐰔	z
𐰸 𐰹	ok/uk, ko/ku
𐰜 𐰝 𐰝	ök/ük, kö/kü
𐰶 𐰷	ık/kı
𐰱	iç/çi
𐰡	lt
𐰨 𐰩	nç
𐰦 ⨀ ◎ ○	nt
□	aş (?)
𐱈	baş
⊗	dem
𐰾	kış

Eski Türk Yazıtlarının Bulunuşu, Çözümü ve Üzerindeki Çalışmalar

Türk runik alfabesiyle yazılmış eski Türk yazıtlarından ilk söz eden, İlhanlı dönemi tarihçisi Alaaddin Atamelik Cüveynî'dir. Cüveynî, *Tarih-i Cihan-güşa* adlı eserinin "İdikut'un Soyu ve Uygur Şehirleri" bölümünde Ordu Balık'ta

(Karabalgasun) yazılı taşlar bulunduğundan bahseder. Cüveynî'nin sözünü ettiği yazıt, büyük bir olasılıkla üç dilli I. Karabalgasun yazıtıdır. Cüveynî'nin verdiği ilk bilgiden sonra eski Türk yazıtlarıyla ilgili öteki bilgiler tarih sırasıyla aşağıda bulunmaktadır.

1675 yılında Nicolaie Milescu (1636-1703), Rus Çarı Aleksi Mihayloviç'in elçisi olarak Çin imparatorunun sarayına giderken Yenisey Irmağı civarında, üzerinde hangi alfabeyle neler yazıldığı bilinmeyen bazı kaya yazıtları görür ve bunlar hakkında kısa bilgilere yer verir. Semyon U. Remezov ise, 1697 yılında yayımladığı Sibirya Atlası'nda bazı Yenisey yazıtlarının resimleriyle yazıtlar hakkında kısa bilgiler verir.

Eski Türk yazıtlarıyla ilgili ilk kez söz eden çalışmalardan sonra en önemli olay kuşkusuz 1709 Poltova Savaşı'nda İsveç subaylarından P. Tabbert von Strahlenberg'in, Ruslara esir düşmesi ve bitki bilimi uzmanı Daniel G. Messerschmidt'le birlikte Güney Sibirya bölgesindeki bitkiler üzerinde araştırmalara katılmasıdır. Messerschmidt ve Strahlenberg ikilisinin 1721 yılında Uybat Irmağı yakınlarında, bilinmeyen bir alfabeyle yazılmış bir yazıt bulmalarıyla, eski Türk yazıtlarının bulunuşuyla ilgili ilk kayıt elde edilir. Bu yazıta, daha sonra Uybat III yazıtı adı verilip 32 numarayla numaralandırılır ve 1886 yılında P. E. Kuznetsov-Krasnoyarskiy ve D. A. Klementz tarafından Hakasya'da bulunan Minusinsk Müzesi'ne taşınır. Strahlenberg ve Messerschmidt'in bulduğu yazıtlardan biri de Yenisey bölgesi yazıtlarından Tuba III'tür (E 37). Bu ilk yazıtlar hakkındaki kayıtlar 1730 yılında Strahlenberg tarafından *Das Nord- und Ostliche Theil von Europa und Asia* adıyla Stockholm'de yayımlanır. Strahlenberg'in bu ünlü kitabında, ilk bulunan yazıtların elle yapılmış çizimleri de yer almaktadır. Bulunan yazıtların harf çözümü ve yazıtların hangi halka ait olabileceği konusu henüz açıklığa kavuşturulamamış olsa da bu bilgi eski Türk yazıtlarıyla ilgili yapılan ilk çalışma olarak değerlendirilebilir. Peter S. Pallas ise yine Yenisey bölgesinden 1793 yılında Uybat IV (E 33) ve Uybat V (E 34) yazıtlarını bulur.

Heinrich J. Klaproth, 1823 yılında yayımlanan "Sur quelques antiquités de la Sibérie" başlıklı makalesinde o güne kadar ele geçen Yenisey yazıtları hakkında bilgi verir. Matthias A. Castrén, 1847 yılında Yenisey'in batı yakasında Tuba I (E 35) yazıtını bulur. Minusinsk Valisi N. A. Kostrov, 1857 yılında Abakan Irmağı'nın sol kıyısında Açura (~Oçurı) (E 26) yazıtını, E. F. Korçakov ise 1878'de Abakan Irmağı'nın sağ kıyısında Altın Köl I (E 28) ve Altın Köl II (E 29) yazıtlarını bulur. 1879'da A. V. Adrianov, Haya-Baji (E 24), N. A. Kostrov ise Oya (E 27) yazıtını bulur. 1885 yılında P. E. Kuznetsov-Krasnoyarskiy, Uybat II'yi (E 31), 1885'te I. T. Savenkov, Tuba II'yi (E 36), 1887 yılındaysa Proskuryakov, Ak-yüs I (E 38) yazıtını bulur.

1887 yılında Fin Arkeoloji Kurumu, Minusinsk Müzesi'ndeki taşların kalıplarını almak üzere Otto H. Appelgren-Kivalo başkanlığında bir heyeti, yine aynı kurum 1888 yılında Iohan R. Aspelin başkanlığında bir heyeti, araştırma yapmak üzere bölgeye gönderir. Her iki heyet de gerek Minusinsk Müzesi'nde gerekse ilk dikildiği yerde bulunan yazıtların kalıplarını ve kopyalarını alır. Özellikle Aspelin'in başında bulunduğu heyetin 17 yeni yazıt bulduğu kayıtlara geçmiştir.

Yenisey bölgesindeki yazıtlarla ilgili buluşlar devam ederken, 1889 yılında Rus Coğrafya Kurumu Nikolay M. Yadrintsev'i araştırma yapmak üzere Moğolistan'a gönderir. Yadrintsev, Moğolistan'ın başkenti Ulan Batur'a 360 km kadar batıda Orhon Irmağı kıyısında, Koşo-Çaydam Gölü yakınında iki büyük taş bulur. Yadrintsev, bu iki taş hakkında elde edilen ilk bilgileri yayımlar.

Finlandiya'nın Fin-Ugor Kurumu 1890 yılında Axel O. Heikel başkanlığındaki bir heyeti Koşo-Çaydam Gölü civarında bulunan Köl Tegin, Bilge Kağan ve I. Karabalgasun yazıtlarının kopyalarını almak üzere Moğolistan'a gönderir. Köl Tegin ve Bilge Kağan yazıtlarının ilk kalıp resimleriyle kopyaları, Axel O. Heikel, G. von der Gabelentz, J. Gabriel Dévéria ve Otto Donner'den oluşan ekip tarafından *Inscriptions de l'Orkhon, recueillies par l'expédition finnoise de 1890 et publiées par la Société Finno-Ougrienne* adıyla yayımlanır. Donner, daha önce *Inscriptions de l'Iénisséi recueillies et publiées par la Société Finlandaise d'Archéologie*'de yayımlanan 32 Yenisey yazıtına, Taşeba (E 40) ve Hemçik-Çırgakı (E 41) yazıtlarını da ekleyerek toplam 34 Yenisey yazıtının grafik sözlüğünü, *Mémoires de la Société Finno-Ougrienne* adlı derginin 1892 yılı sayısında "Wörterverzeichniss zu den inscription de l'Iénissei" başlıklı makaleyle bilim dünyasına duyurur.

Rus Bilimler Akademisi'yse, Wilhelm Radloff başkanlığındaki bir heyeti Moğolistan'a gönderir ve elde edilen veriler yayımlanır. *Atlas drevnostey Mongolii. Trudı Orhonskoy Ekspeditsii* başlıklı bu serinin ilk bölümü 1892'de, 2. bölümü 1893'te, 3. bölümü 1896'da ve 4. bölümüyse 1899 yılında yayımlanır.

Köl Tegin ve Bilge Kağan yazıtlarının kopyaları elde edildikten sonra her iki yazıtın batı yüzlerinde bulunan Çince bölümde, yazıtların hangi halk tarafından ve kim adına diktirildiği belirtildiği için, üç yüzde bulunan metnin Türkçe olduğu anlaşılmıştı. Bir yandan Thomsen, öte yandan Radloff, yazıt kopyalarından hareket ederek harfleri çözmek için büyük bir yarış içerisine girer. Metinde çok geçen *köl tėgin, teŋri* ve *türk* sözcüklerindeki harflere tahmini ses değerleri vererek yola çıkan Thomsen, çok geçen harflerin ünlü olabileceğini var sayarak harfleri çözmeyi başarır. Thomsen, 25 Kasım 1893'te harflerin ses değerlerini çözdüğünü bir bildiriyle duyurur ve 15 Aralık 1893 tarihinde "Déchiffrement des inscriptions de l'Orkhon et de l'Iénisséi, notice préliminaire" adıyla yayımlar.

Radloff ise Thomsen'in kendisine gönderdiği çalışmadan da yararlanmak suretiyle, serinin üç fasikülünü 1894'te, 4. fasikülünüyse 1895'te yayımlar. Radloff bu fasikülleri kitap hâline dönüştürerek *Die alttürkische Inschriften der Mongolei* adıyla 1895 yılında St. Petersburg'da bilim dünyasıyla paylaşır. Dolayısıyla harfleri çözmeyi başaran Danimarkalı bilgin Thomsen, metinleri ilk kez yayımlayansa Radloff olmuştur.

Radloff'un yayımlanan ilk kitabında, Köl Tegin, Bilge Kağan, Ongi, Ihe-Ashete, Ihe-Hanın-Nur, Hoyto-Tamır'daki 10 yazıtla o güne kadar bilinen 40 Yenisey yazıtı ve bu yazıtların sözlükleri bulunmaktadır. Böylelikle Radloff'un bu yayımı eski Türk yazıtlarıyla ilgili kitap boyutundaki ilk çalışma olarak değer kazanır.

Thomsen acele etmez ve Radloff'un okuyuşlarını da gördükten sonra, 1896 yılında Köl Tegin ve Bilge Kağan yazıtlarını yayımlar: "Inscriptions de l'Orkhon déchiffrées." Thomsen'in bu yayımında Köl Tegin için "I", Bilge Kağan içinse "II" sembolleri verilir ve bu semboller sonraki araştırmacılar tarafından uzun süre kullanılır. Bugün bile Batılı Türkologlar, Köl Tegin yazıtı yerine "I. yazıt", Bilge Kağan yazıtı yerineyse "II. yazıt" terimini kullanmaya devam etmektedirler.

Bir yandan harfleri çözmeyi başaran Thomsen, öte yandan Rusların en yetkin Türkologlarından Radloff, o güne kadar bulunan yazıtlarda yer alan sözcük ve cümleler üzerinde yoğun bir mesai harcarken, 1897 yılında bitki bilimi uzmanı Yelizaveta Nikolayevna Klements (1854-1914), Moğolistan'ın başkenti Ulan Batur'un yaklaşık 60 km doğusundaki Nalayh kasabasına yakın bir yerde, yerel halkça Bain-Tsokto denilen bölgede iki taştan oluşan Tonyukuk yazıtını bulur. Radloff, 1898 yılında Tonyukuk yazıtı hakkındaki ilk çalışmasını makale olarak yayımlar. "Eine neu aufgefundene alttürkische Inschrift" başlıklı makalesinde, Tonyukuk yazıtı hakkında genel bilgiler verir ancak okuma ve anlamlandırma yapmaz. 1899 yılında da Tonyukuk yazıtının ilk yayımını yapar: *Die alttürkischen Inschriften der Mongolei* (Zweite Folge). Radloff, Tonyukuk yazıtının tam yayımını yaptığı bu kitabında, dönemin en ünlü tarihçilerinden Vladimir V. Barthold'un "Die alttürkischen Inschriften und der Arabischen Quellen" adlı makalesiyle ünlü Sinolog Friedrich Hirth'in kitap boyutundaki meşhur makalesi bulunur: "Nachworte zur Inschrift des Tonjukuk, Beiträge zur Geschichte der Ost-Türken im 7. und 8. jahrhundert nach Chinesischen Quellen."

Radloff ve Thomsen'in ilk yayınlarının ardından dünyanın çeşitli Türkoloji merkezlerinde çok sayıda çalışma yapılır. Bunların bir bölümünün adını anmak yararlı olacaktır. Sergey Ye. Malov'un 1951 yılında yayımladığı *Pamyatniki drevnetyurkskoy pis'mennosti, tekstı i issledovaniya* adlı çalışmasında Moğolistan'daki yazıtlardan bir bölümünün neşri bulunur. Yine Malov'un 1952 tarihli çalışmasında o güne kadar bilinen 51 Yenisey yazıtının yayımı yapılır. 1959 yılındaki çalışmasındaysa daha önceden yayımlamadığı, özellikle Moğolistan'daki yazıtlardan bir bölümünü yayımlar. Talat Tekin'in Indiana Üniversitesinde hazırladığı *Orhon Türkçesi Grameri* adlı doktora çalışması 1968 yılında yayımlanır: *A Grammar of Orkhon Turkic.*

1961 yılında Paris'te René Giraud tarafından yayımlanan *L'Inscription de Baïn Tsokto* adlı kitap, Tonyukuk yazıtıyla ilgili önemli yayınlardan biri olarak değerlendirilmektedir. 1983 yılında Dmitriy V. Vasilyev'in 1983 yılında yayımlanan *Korpus Tyurkskih runiçeskih pamyatnikov basseyna Yeniseya* adlı çalışmasında Yenisey yazıtlarından 136'sı hakkında bilgi, harf görüntüleri ve çizimle fotoğraflara yer verilir. 1999 yılında Takao Moriyasu ve Ayudai Ochir editörlüğünde Moğol-Japon araştırma heyetinin elde ettiği verilerin bulunduğu *Provisional Report of Researches on Historical Sites and Inscriptions in Mongolia from 1996 to 1998* adlı çalışma, 1999 yılında Osaka'da yayımlanır. İgor L. Kızlasov'un 1994 yılında yayımlanan *Runiçeskiye pis'mennosti Yevraziyskih stepey* adlı eserinde Yenisey ve Dağlık Altay yazıtlarının bir bölümünün yayımının yanında, harflerin Avrasya hattındaki kullanım biçimleri hakkında da bilgi verilir. Volker Rybatzki, 1997 yılında Tonyukuk yazıtıyla ilgili kapsamlı ve önceki yayınlarla karşılaştırmalı bir neşir çalışması yapar: *Die Toñukuk-Inschrift*. İgor V. Kormuşin'in 1997 yılında yayımladığı *Tyurkskiye Yeniseyskiye yepitafii, tekstı i issledovaniya* adlı çalışmasında Yenisey yazıtlarının bir bölümünün yayımı yapılır.

Árpád Berta'nın 2004 yılında Szeged'de yayımladığı *Szavaimat Jól Halljátok, A Türk és Ujgur Rovásírásos Emlékek Kritikai Kiadása* başlıklı kitabı 2010 yılında Emine Yılmaz tarafından Türkçeye çevrilir ve Türk Dil Kurumu tarafından yayımlanır: *Sözlerimi iyi dinleyin: Türk ve Uygur Runik Yazıtlarının Karşılaştırmalı Yayını*. Dağlık Altay bölgesi yazıtlarıyla ilgili en kapsamlı yayın Larissa N. Tıbıkova-İrina A. Nevskaya ve Marcel Erdal tarafından 2012 yılında Gorno-Altaysk'da yayımlanır: *Katalog Drevnetyurkskih Runiçeskih Pamyatnikov.*

Türkiye'deyse Cumhuriyet'in ilanıyla birlikte, Mustafa Kemal Atatürk'ün üzerinde en fazla durduğu konu tarih ve dil araştırmalarıdır. Atatürk, 1933'te yapılan üniversite reformuyla İstanbul Üniversitesine ve 1935'te direktifleriyle kurulan Dil ve Tarih-Coğrafya Fakültesine büyük görevler verir. Ayrıca 1931 yılında Türk Tarih Kurumu ve 1932 yılında da Türk Dil Kurumu'nu kurarak bu iki kurumu, Türk tarihinin ve dilinin araştırılıp kökenlerinin ortaya çıkarılmasına hizmet etmeye sevk eder.

Cumhuriyet döneminde belki de en fazla dikkati çeken konu, eski Türk yazıtlarıyla ilgili çalışmalardır. Osmanlı Devleti, Cumhuriyet'in ilanından otuz yıl kadar önce çözülen yazıtlardan habersiz kalmıştı. Atatürk bu çalışmaları takip etmiş ve 26 Eylül 1932'de Dolmabahçe Sarayı'nda düzenlediği Türk Dili Kurultayı'na bu bilim adamlarından bazılarını çağırmış, kurultayı baştan sona kadar izlemiş ve çeşitli notlar almıştır.

Yurt dışında Donner, Radloff, Thomsen, Melioranskiy, Bang gibi bilim adamları yazıtlar üzerinde önemli yayınlar yaparken Türkiye'de eski Türk yazıtlarıyla ilgili ilk çalışma İkdam Gazetesi'nin 200. sayısında yer alan ve yazarı bilinmeyen "Hutût-ı Kadîme-i Türkiyye" adlı makaledir. Bu makale 17 Şubat 1895'te yayımlanmış olup makalenin Latin harfleriyle yayımı Bilge Ercilasun tarafından yapılmıştır. Ercilasun, yazarı bilinmeyen bu makalenin Necib Asım'a ait olabileceğini belirtir.

Bu makaleden sonra Şemsettin Sami'nin, Thomsen'den yararlanarak yaptığı çalışmasını saymak gerekir. Bu eserde, Köktürk harfleri kırmızı renkle gösterilmiş, satırın altına da siyah renkle verdiği Osmanlı harfleriyle metnin transkripsiyonu yapılmıştır. A. Sırrı Levend'in verdiği bilgiye göre Şemsettin Sami'nin ölümünden dolayı bu çalışma yayımlanamamıştır.

Necib Asım Yazuksuz'un 35 sayfalık *Pek Eski Türk Yazısı* adlı yayınını da anmak gerekir. Bu arada A. Hikmet Müftüoğlu'nun *Gönül Hanım* adlı romanı ve Fuad Köprülü'yle Ziya Gökalp'ın *Türk Yurdu* dergisinde çıkan bazı yazılarının, Cumhuriyet'ten önce yapılan çalışmalardan olduğunu eklemekte yarar bulunmaktadır.

Cumhuriyet'ten sonra, yine Necib Asım'ın hicrî 1340, miladî 1924'te yayımladığı *Orhun Abideleri* adlı eseri bu yolda yapılmış önemli çalışmalardandır. Necib Asım eserini iki bölüme ayırır; ilk bölümde Türk runik harfleriyle ilgili bilgilerin yanında, kısa bir gramer de verir. Eserin ikinci bölümündeyse Köl Tegin ile Bilge Kağan yazıtlarının yazı çevrimini, Osmanlı harfleriyle yapar ve satır aralarına da yine Osmanlı harfleriyle o günkü Türkçeye aktarımını verir.

V. Thomsen'in "Alttürkische Inschriften aus der Mongolei, in Übersetzung und mit Einleitung" başlıklı Almancaya çevrilen makalesi, R. Hulusi Özdem tarafından "Moğolistan'daki Türkçe Kitabeler" adıyla Türkçeye çevrilir ve yayımlanır.

Cumhuriyet'ten sonra eski Türk yazıtlarıyla ilgili önemli çalışmalardan birkaçı da Sadri Maksudi Arsal ile M. Fuad Köprülü arasında yaşanan bilimsel tartışmadır. Arsal'ın Türk Yurdu dergisinde "Çinliler ve Moğolların *Hoei-Hou* ve Uygurlarıyla Orhun Türk Kitabelerindeki Oğuzların Aynı Olduklarına Dair İzahat" başlıklı makalesi yayımlanır. Köprülü'yse Türkiyat Mecmuası'nda yayımlanan "Kitabiyat Tenkidleri, Sadri Maksudi'nin Çinlilerle Moğolların *Hoei-Hou*ları ve Orhun Türk Kitabelerinin Oğuzları" başlıklı makalesiyle Sadri Maksudi'yi eleştirir, ardından Sadri Maksudi de "Çinlilerin *Hoei-Hou* Dedikleri Halkın Orhun Kitabeleri'ndeki Dokuz Oğuzların Aynı Olduğuna Dair İzahat" makalesiyle Köprülü'ye cevap verir.

Cumhuriyet döneminde eski Türk yazıtlarıyla ilgili çalışmalar içerisinde Hüseyin Namık Orkun'un *Eski Türk Yazıtları* adlı eserinin ayrı bir yeri ve önemi vardır. Bu eserde yazıtların Türk runik harfli metni, yazı çevrimiyle Türkiye Türkçesine aktarımı bulunmaktadır. Orkun, bu eserini 1936-1941 yılları arasında dört cilt olarak yayımlamış olup birinci ciltte sırasıyla, Köl Tegin ve Bilge Kağan yazıtları, ardından Köl Tegin yazıtının Çince yüzünün Hadiye Erturkan tarafından, E. H. Parker'in Çinceden İngilizceye çevirisi esas alınmak suretiyle Türkiye Türkçesine yapılan çevirisine yer verilir. Bu ciltte ayrıca Tonyukuk, Ongi, İhe Hüşotü (Küli Çor), Suci ve Şine Usu yazıtlarının yayımı yapılmıştır.

İkinci ciltteyse Türk runik harfleri hakkında bilgi verilir ve ardından Bilge Kağan yazıtının Çince yüzünün İbrahim N. Dilmen tarafından yapılan Türkiye Türkçesine çevirisi bulunur. Bu çeviride G. Devéria'nın verdiği metin esas alınır. Daha sonra I. Karabalgasun yazıtı, Turfan'da bulunan Türk runik harfli yazmaların yazı çevrimi ve Türkiye Türkçesine aktarımı yer alır. Bu ciltte ayrıca küçük yazıtlar da işlenir: *İhe-Hanın-Nor, Talas, Hoytu-Tamır, Ihe-Ashete, Nagy-Szent-Miklós.*

Üçüncü ciltte Yenisey yazıtları, Radloff'un 1895 yılında yayımlanan eserindeki sırayla verilir. Orkun'un bu ciltte yayımladığı Yenisey yazıtı sayısı 47'dir. Son ciltse "Eski Türk Yazıtlarına Dair Notlar" adlı bölümle başlar. Orkun, kimi sorunlu okuma ve anlamlandırmalar hakkında kendi görüşlerini belirtir. Bu bölümde Ötüken hakkında, özellikle Ötüken'in neresi olabileceğiyle ilgili bilgilere de yer verilir. Ardından, üç ciltte işlenen yazıtların sözlüğü bulunmaktadır. Dördüncü cildin son bölümlerindeyse yazıtlara ait fotoğraflar bulunur. Bu dört ayrı kitap, daha sonra Türk Dil Kurumu tarafından birleştirilerek tek kitap hâlinde, aslına sadık kalınarak yeniden yayımlanır. Orkun'un *Eski Türk Yazıtları* adlı dört ciltlik eseri, Türkiye'de eski Türk yazıtlarıyla ilgili kapsamlı ve bilimsel ilk çalışmadır.

Muharrem Ergin'in *Orhun Abideleri* adlı eseri, 1970 yılında Millî Eğitim Bakanlığı tarafından yayımlanır. Talat Tekin'in 1988 yılında yayımladığı *Orhon Yazıtları* adlı eserinde Köl Tegin ve Bilge Kağan yazıtlarının yeni bir yayımı yapılır. Tekin'in 1994 yılında yayımlanan *Tunyukuk Yazıtı* adlı çalışmasındaysa, Tonyukuk yazıtının yeni bir yayımına yer verilir. Tekin'in *Orhon Yazıtları: Kül Tigin, Bilge Kağan, Tunyukuk* adlı çalışması 1995 yılında yayımlanmış olup bu çalışmada üç önemli yazıtın yeni yayımları bulunmaktadır. Talat Tekin'in 2000 yılında yayımlanan *Orhon Türkçesi Grameri* adlı çalışması, 1968 yılında Indiana Üniversitesi tarafından yayımlanan doktora çalışmasının yeniden düzenlenmiş ve Türkçeye çevrilmiş biçimidir. Cengiz Alyılmaz'ın 1995 yılında yayımlanan *Orhun Yazıtlarının Bugünkü Durumu* adlı çalışmasında, Köl Tegin, Bilge Kağan ve Tonyukuk yazıtlarındaki metinleri oluşturan harflerin güncel durumları, eski atlaslarla karşılaştırılmak suretiyle verilir.

Hatice Şirin User'in 2009 yılında yayımlanan *Köktürk ve Ötüken Uygur Kağanlığı Yazıtları, Söz Varlığı İncelemesi* adlı çalışmasında bazı yazıtların yayımına da yer verilir. Bu yayının 2016 yılında yapılan yeni baskısındaysa işlenen yazıtların sayısı arttırılmıştır. Rysbek Alimov'un 2014 yılında yayımlanan *Tanrı Dağı Yazıtları. Eski Türk Runik Yazıtları Üzerine Bir İnceleme* adlı çalışmasında Kırgızistan bölgesinde ele geçen yazıtların yeni bir yayımı yapılır. Cengiz Alyılmaz'ın 2015 yılında yayımladığı *İpek Yolu Kavşağının Ölümsüzlük Eserleri* adlı çalışması, Çin Halk Cumhuriyeti'nde ele geçen yazıtlar hakkında yeni bir yayımı içerir. Mehmet Ölmez'in 2012 yılında yayımlanan *Orhon-Uygur Hanlığı Dönemi Moğolistan'daki Eski Türk Yazıtları, Metin-Çeviri-Sözlük* adlı çalışmasında Moğolistan'daki eski Türk yazıtlarından bir bölümünün yayımı yapılır. 2016 yılında Ahmet B. Ercilasun'un *Türk Kağanlığı ve Türk Bengü Taşları* adlı eseri Dergâh yayınları tarafından yayımlanır.

Erhan Aydın'ın 2017 yılında yayımlanan *Orhon Yazıtları, Köl Tegin, Bilge Kağan, Tonyukuk, Ongi, Küli Çor* adlı çalışmasında eski Türk yazıtları içerisinde satır sayısının çokluğu ve ilk bulunan yazıtlardan olması dolayısıyla en ünlü beş yazıtın yeni bir yayımı yapılır. Yine Aydın'ın 2018'de yayımlanan *Uygur Yazıtları* adlı çalışmasında Uygur Kağanlığı'nın yazıtlarıyla Uygurlardan kaldığı muhtemel yazıtların yeni bir yayımı yapılır. Mehmet Ölmez'in *Uygur Hakanlığı Yazıtları* 2018 yılında yayımlanmış olup Uygur dönemi yazıtlarıyla ilgili bir yayım çalışmasıdır. Aydın'ın 2019 yılında yayımlanan *Sibirya'da Türk İzleri, Yenisey Yazıtları* adlı çalışması, Yenisey yazıtlarının bilinenlerinin tümünü yayımlayan bir çalışma olup konuyla ilgili yapılmış en kapsamlı yayın olarak değer kazanır. Erhan Aydın'ın 2019 yılında yayımladığı *Türklerin Bilge Atası Tonyukuk* adlı çalışması, Tonyukuk'la ilgili geniş bir biyografi ve yazıtıyla ilgili bir yayım çalışması niteliğindedir.

Eski Türk yazıtlarıyla ilgili gerek Türkiye'de gerek dünyanın farklı bilim merkezlerinde birçok çalışma yapıldı ve yapılmaya devam ediyor. Bu büyük külliyat üzerinde yapılan çalışmalar gün geçtikçe artmakta ve dolayısıyla büyük bir kütüphane meydana getirmektedir. Bu satırların yazarı, eski Türk yazıtları üzerinde yapılan çalışmalarına *Türk Ru-*

nik Kaynakçası'yla (2008) başlar, ardından yeni yayını *Türk Runik Bibliyografyası* (2010) ile sürdürür ve en güncel yayınını 2017 yılında *Türk Runik Bibliyografyası* adıyla yayımlar.

Türk Runik Harfli Eski Türk Yazıtları

Moğolistan'daki Yazıtlar

Moğolistan coğrafyasında çok ünlü yazıtlar bulunmaktadır ve bunlar, üzerinde en fazla çalışma yapılan ve en çok bilinen yazıtlar olarak değer kazanmaktadır. Moğolistan'daki yazıtların bir bölümü, başta başkent Ulan Batur olmak üzere kimi kentlerdeki müzelerde korunmakta ancak büyük bir bölümüyse hâlâ dikildiği veya yazıldığı yerde durmaktadır.

Moğolistan'da ele geçen yazıtların hangileri olduğu ve envanter bilgileri konusunda birçok çalışma yapılmıştır. Özellikle bazı yazıtların Batı Dünyası'nda farklı, Moğolistan'da bulunduğu yer adıyla anılması dolayısıyla farklı adlandırılması, envanter çalışmalarının ne kadar önemli olduğunun kanıtıdır. Örneğin, Küli Çor yazıtı; Köli Çor, Kül İç Çor, Köl İç Çor, İh-Höşööt ve İhe-Hüşötü adlarıyla tanınmaktadır.

Her ne kadar eski Türk yazıtları alanında çalışan araştırmacılar bu farklı adlandırmalarla hangi yazıtın kastedildiği konusunda kuşkuya düşmeseler de özellikle alana ilgi duyan kişilerin yazıtları birbirine karıştırma olasılığı yüksektir. Ancak Moğolistan'daki yazıtların envanter bilgilerini vermek ve dolayısıyla kayıtlara geçirmek amacıyla çalışmalar yapılmasına rağmen aşağıda da görüleceği üzere envanter vermeyi amaçlayan çalışmaların çokluğu, konuyla ilgili kuşkuların hâlâ giderilemediğinin kanıtıdır. Moğolistan'daki yazıtların, yayımlandığı güne kadarki envanter bilgilerini veren araştırmacılar tarih sırasıyla şöyledir: H. Perlee (1968), Dmitriy D. Vasilyev (1976) ve (1978), F. Sema Barutçu Özönder (2002), Cengiz Alyılmaz (2003), Béla Kempf (2004), Osman F. Sertkaya (2008) Azzaya Badam (2010), Erhan Aydın (2015).

Moğolistan'da bulunan eski Türk yazıtları hakkında yapılan envanter çalışmalarının bir bölümü hususen envanter hazırlama amacını taşımaktadır. Radloff, Thomsen ve Orkun'un, o güne kadar bilinen yazıtları listelemek gibi bir düşünceleri olmamıştır. Ancak ilk naşirlerin eserlerindeki yazıt sırası, yazıtları sıralamak ve numaralamak için oldukça önemlidir. Eski Türk yazıtlarının önemli naşirlerinden Talat Tekin, 1968 yılında yayımlanan gramerinde Köl Tegin, Bilge Kağan, Tonyukuk, Ongi ve Küli Çor yazıtlarını işlemiş ve bu sırayla vermiştir. Bu beş yazıtın en çok bilinen ve üzerinde en çok çalışılan metinler olduğu söylenebilir.

Envanter çalışması yapan araştırmacıların bir bölümü, yazıtların ünlü olup olmamasından hareket etmiş, bir bölümüyse alfabetik sırayla listelemiştir. Alfabetik sırayla listeleyenlerin bir bölümü Moğolca adlara, bir bölümüyse daha çok bilinen, yaygın adlara göre sıralamıştır. Listelerin bir bölümünde yazıtın farklı adları, farklı yazıt gibi algılanarak listelere dâhil edilmiş, dolayısıyla da aynı yazıt, farklı adlarla iki farklı yerde verilmiştir. Hasılı, Moğolistan'daki yazıtların sıralanmasında ünlü olup olmaması ilkesinden hareket edilmesi ve buna göre sıralanması daha uygun görünmektedir.

Moğolistan'da bulunan ve gerek müzelerde gerekse ilk dikildiği veya yazıldığı yerde bulunan yazıtlar aşağıda liste hâlinde verilmiştir. Yazıtın tüm adlarının aynı satırda gösterilmesi, yazıtın farklı adlandırmalarının farklı yazıt gibi algılanmasının önüne geçme amacını taşımaktadır.

Mo 1. Köl Tegin/Kül Tegin/Orhon I

Mo 2. Köl Tegin Yazıtının Kaplumbağa Biçimli Altlığındaki Yazıt

Mo 3. Bilge Kağan/Orhon II

Mo 4. Bilge Kağan Külliyesi'ndeki Balbal Üzerindeki Yazıt

Mo 5. Tonyukuk I/Tunyukuk I

Mo 6. Tonyukuk II/Tunyukuk II

Mo 7. Tonyukuk Külliyesi'ndeki Sıva Üzerindeki Yazıt/Tonyukuk III

Mo 8. Ongin/Ongi/Öngi

Mo 9. Ongin Külliyesi'ndeki Balbal Üzerindeki Yazıt

Mo 10. Küli Çor/İhe Hüşötü/Köli Çor/Köl İç Çor/Kül İç Çor

Mo 11. Tes

Mo 12. Tariat/Taryat/Terh

Mo 13. Tariat Yazıtının Kaplumbağa Biçimli Kaidesindeki Yazıt

Mo 14. Şine Usu/Şine Us/Moyun Çor/Bayan Çor/Selenge yazıtı/Mogoyn Şine Us

Mo 15. Suci/Süci/Bel

Mo 16. Kara Balgasun I/Har Balgas I/Üçüncü Uygur Yazıtı

Mo 17. Kara Balgasun II/Har Balgas II Yazıtı

Mo 18. Sevrey/Somon Sevrey

Mo 19. Çoyr/Çoyren/Çöyr

Mo 20. İhe Ashete/Höl Asgat/İh Asgat/Altun Tamgan

Mo 21. İh Hanuy Nuur/Erdene Mandal

Mo 22. Arhanan/Kül Tarhan

Mo 23. Hangiday

Mo 24. Bömbögör

Mo 25. Hoyto Tamır I/Tayhar Çuluu I

Mo 26. Hoyto Tamır II/Tayhar Çuluu II

Mo 27. Hoyto Tamır III/Tayhar Çuluu III

Mo 28. Hoyto Tamır IV/Tayhar Çuluu IV

Mo 29. Hoyto Tamır V/Tayhar Çuluu V

Mo 30. Hoyto Tamır VI/Tayhar Çuluu VI

Mo 31. Hoyto Tamır VII/Tayhar Çuluu VII

Mo 32. Hoyto Tamır VIII/Tayhar Çuluu VIII

Mo 33. Hoyto Tamır IX/Tayhar Çuluu IX

Mo 34. Hoyto Tamır X/Tayhar Çuluu X

Mo 35. Hoyto Tamır XI/Tayhar Çuluu XI

Mo 36. Hoyto Tamır XII/Tayhar Çuluu XII

Mo 37. Hoyto Tamır XIII/Tayhar Çuluu XIII

Mo 38. Hoyto Tamır XIV/Tayhar Çuluu XIV

Mo 39. Hoyto Tamır XV/Tayhar Çuluu XV

Mo 40. Hoyto Tamır XVI/Tayhar Çuluu XVI
Mo 41. Hoyto Tamır XVII/Tayhar Çuluu XVII
Mo 42. Hoyto Tamır XVIII/Tayhar Çuluu XVIII
Mo 43. Hoyto Tamır XIX/Tayhar Çuluu XIX
Mo 44. Hoyto Tamır XX/Tayhar Çuluu XX
Mo 45. Hoyto Tamır XXI/Tayhar Çuluu XXI
Mo 46. Hutug Uul I/Khutuk Ula I/Kutlug Tag I
Mo 47. Hutug Uul II/Khutuk Ula II/Kutlug Tag II
Mo 48. Hutug Uul III/Khutuk Ula III/Kutlug Tag III
Mo 49. Hutug Uul IV/Khutuk Ula IV/Kutlug Tag IV
Mo 50. Hutug Uul V/Khutuk Ula V/Kutlug Tag V
Mo 51. Yamaanı Us I/Hanan Had I
Mo 52. Yamaanı Us II/Hanan Had II
Mo 53. Yamaanı Us III/Hanan Had III
Mo 54. Yamaanı Us IV/Hanan Had IV
Mo 55. Yamaanı Us V/Hanan Had V
Mo 56. Yamaanı Us VI/Hanan Had VI
Mo 57. Açit Nuur I
Mo 58. Açit Nuur II
Mo 59. Açit Nuur III
Mo 60. İh Biçigt I
Mo 61. İh Biçigt II
Mo 62. Örük I
Mo 63. Örük II
Mo 64. Gürbelcin/Gurvaljin Uul
Mo 65. Gurvan Mandal I/Dund Mandal
Mo 66. Gurvan Mandal II/Adag Mandal
Mo 67. Altan Had I
Mo 68. Altan Had II
Mo 69. Teht
Mo 70. Tevş/Aru Bogdo
Mo 71. Olon Nuur/Galuut

Mo 72. Olon Nuur/Akbatır Taşı/Höh Hötöl
Mo 73. Nalayh Yazıtı/Ulan Batur (Urga) Kiremit Yazıtı
Mo 74. Baga Oygor I
Mo 75. Baga Oygor II
Mo 76. Biger I
Mo 77. Biger II
Mo 78. Biger III
Mo 79. Biger IV
Mo 80. Biger V
Mo 81. Biger VI
Mo 82. Biger VII
Mo 83. Darvi I/Bayşin Üzüür I/Tsagaan Tolgoy I
Mo 84. Darvi II/Bayşin Üzüür II/Tsagaan Tolgoy II
Mo 85. Darvi III/Bayşin Üzüür III/Tsagaan Tolgoy III
Mo 86. Del Uul I
Mo 87. Del Uul II
Mo 88. Del Uul III
Mo 89. Del Uul IV
Mo 90. Hanangiyn Buuts
Mo 91. Dalan Uul
Mo 92. Doloodoyn/Doloogoydoy
Mo 93. Delüün
Mo 94. Jirimiyn Hudag
Mo 95. Zoos/Runik Harfli Para
Mo 96. Züriyn Ovoo/Somon Tes/Tes
Mo 97. Züün Oroy Övöljöö/Ak Şokı/Tsagaan Salaa
Mo 98. Zürh Uul
Mo 99. Övördörölj
Mo 100. Övörhangay
Mo 101. Örtöönbulag
Mo 102. Raşaan Had
Mo 103. Mutrın Temdeg / Kutlug'un Mührü

Mo 104. Tsahir I
Mo 105. Tsahir II
Mo 106. Şaahar Tolgoy I
Mo 107. Şaahar Tolgoy II
Mo 108. Şaahar Tolgoy III
Mo 109. Şiveet Hayrhan I
Mo 110. Şiveet Hayrhan II
Mo 111. Şiveet Hayrhan III
Mo 112. Tömör Tsorgo
Mo 113. Har Magnay/Kara Alın
Mo 114. Tsenher Mandal/Hentey I-II/Burgast Valley
Mo 115. Tsetsüühei
Mo 116. Kara Katu/Ereen Harganat/Hatuu Us
Mo 117. Kitap Düğme Üzerindeki Yazıt
Mo 118. Yay Üzerindeki Yazıt
Mo 119. Tuğla Üzerindeki Yazıt
Mo 120. Adı bilinmeyen bir yazıt.
Mo 121. Çalgı Üzerindeki Yazıt
Mo 122. Baga Hayrhan I
Mo 123. Baga Hayrhan II
Mo 124. Delgerhaan I
Mo 125. Delgerhaan II

Yenisey (Tuva ve Hakasya) Yazıtları

Yenisey yazıtları ifadesiyle bugünkü Rusya Federasyonu'na bağlı Tuva ve Hakasya Cumhuriyetlerinde ele geçen iki yüz civarında yazıt kastedilmektedir. Moğolistan'daki yazıtlardan daha önce bulunmuş bu yazıtların Moğolistan'daki Büyük Kağanlık yazıtlarından daha eski zamanlardan kalıp kalmadığı tartışılmış, ayrıca Yenisey yazıtlarında tespit edilen harflerin Moğolistan'daki çok satırlı yazıtlardaki harflerin ilkel hâlleri olduğu bile öne sürülmüştü. Örneğin Barthold, Yenisey yazıtlarının daha eski olduğunu düşünenlerden biriydi. Platon M. Melioranskiy ve Otto Donner'e göre Yenisey yazıtlarındaki işaretlerin daha eski oluşu, bu yazı sisteminin Orhon bölgesinden daha önce bilindiğine de tanıklık etmektedir.

Yenisey yazıtları ilk keşfedilen yazıtlar olduğu hâlde, Moğolistan'daki Büyük Kağanlık yazıtlarının gölgesinde kalmaktan kurtulamamıştır. Bunun en önemli nedenlerinden biri, Moğolistan bozkırlarında bulunan ve özellikle II. Köktürk ve Uygur Kağanlığı döneminden kalan yazıtların satır sayısının çok olmasıdır. On sekizinci yüzyılın ilk çeyreğinden itibaren keşfedilen ve bilim dünyasınca bilinen Yenisey yazıtları, satır sayılarının azlığı ve düzensiz yazılmaları nedeniyle, özellikle Türk dili alanı dışında çalışan araştırmacıların ilgisini çekmemiştir. Bu yazıtların tamamının tarihsiz oluşu ve günümüz mezar taşlarındaki kalıplaşmış ibare ve cümleler içermesi, onlara duyulan ilginin az oluşunun bir başka nedenidir. Yine de Elegest I (E 10), Begre (E 11), Oçurı (E 26), Altın-Köl I (E 28), Altın-Köl II (E 29), Hemçik-Çırgakı (E 41), Köjeelig-Hovu (E 45), Abakan (E 48) gibi çok satırlı yazıtlardan çeşitli bilgiler elde edilebilmektedir.

Yenisey yazıtları, Türk runik alfabesinin çözülmesinin ardından, derli toplu ve bilimsel olarak ilk kez Radloff'un 1895 tarihli *Die alttürkischen Inschriften der Mongolei* adlı eserinde yayımlanır. Radloff'un yayımladığı yazıt sayısı 40'tır. Radloff'tan sonra Yenisey yazıtlarının o güne kadar bilinenlerini yayımlayan araştırmacılardan biri de Hüseyin Namık Orkun'dur. Orkun 1938 yılında yayımladığı *Eski Türk Yazıtları II* ve 1940 yılında yayımladığı *Eski Türk Yazıtları III* adlı çalışmalarında, toplam 47 Yenisey yazıtı yayımlar. Sergey Ye. Malov, 1952 yılında yayımladığı *Yeniseyskaya Pis'mennost' Tyurkov, tekstı i perevodı* adlı çalışmasında, 51 Yenisey yazıtı yayımlar. Malov'un bu çalışmasının bir başka önemli tarafı da Uyuk-Tarlak'a 1 numara vermek suretiyle numaralandırmasıdır. Malov'un bu numaralandırmada, Radloff'un verdiği sırayı izlediğini de eklemek gerekir.

Dmitriy D. Vasilyev'in 1983 yılında yayımladığı *Korpus Tyurkskih runiçeskih pamyatnikov basseyna Yeniseya* adlı çalışmasında 145 yazıtın envanter bilgileri, harf çevrimli metni, metin görüntüleri ve fotoğrafları verilir. Vasilyev'in bu eserinde Haya-Bajı (E 24), Taş Ağırşak I (E 87), Övür I (E 89), Övür II (E 90), Yir-Sayır I (E 93), Tugutüp II (E 121), Uybat VIII (E 132), Kopön Altın Küp (E 133), Mugur-Sargol III (E 145) yazıtlarına ait metinler bulunmamaktadır.

Yenisey yazıtlarını numara sırasına göre değil de yazıtın bulunduğu bölgeye göre sıralayan Kormuşin'in *Tyurkskiye Yeniseyskiye yepitafii, tekstı i issledovaniya* adlı çalışmasının ilk ve genişletilmiş 2. baskısı da bu yolda yapılmış çalışmalardandır.

Vilhelm Thomsen, ölümünden önceki döneme kadar ele geçen yazıtların tümünü, asistanı Kurt Wulff'la birlikte yayımlama düşüncesindeydi. Ancak 1927'de Thomsen'in, 1939'da da Wulff'un ölümü çalışmanın tamamlanmasına engel oldu. Hem Thomsen'in hem de Wulff'un okuma ve anlamlandırma denemeleriyle, özellikle bazı yazıtların sorunlu yerlerindeki harf teşhislerini içeren materyal, Pentti Aalto tarafından yayımlanmıştı. Marcel Erdal, Yenisey yazıtlarını yeniden yayımlayacak kişinin Wulff'un materyallerine kesinlikle bakması gerektiğini, dolayısıyla Wulff'un harf teşhislerine güvenilebileceğini ifade eder.

Yenisey yazıtlarının büyük bir bölümünde göze çarpan yazım yanlışlarıyla harflerdeki düzensizlikleri, o bölgenin halkı tarafından yazılmasına bağlamak mümkündür. Yenisey yazıtlarının tamamında herhangi bir tarih kaydının bulunmaması, bu yazıtların ne zaman dikildiği tartışmalarının uzayıp gitmesine de neden olmaktadır. Yine de bu yazıtların birkaçında geçen kimi tarihî olaylara ait ipuçlarından yararlanarak en azından yüzyıl olarak tarihlendirme yapan çalışmalar bulunmaktadır. Louis Bazin'in *Les systemes chronologiques dans le monde Turc ancien* adlı çalışması bu türde yapılmış en önemli çalışmalardan biridir. Bu çalışma, Vedat Köken tarafından Fransızca aslından Türkçeye çevrilir ve 2011 yılında Türk Dil Kurumu tarafından *Eski Türk Dünyasında Kronoloji Yöntemleri* adıyla yayımlanır.

Moğolistan'daki yazıtlardan daha fazla olmasına karşın bu yazıtların adlandırılmasında herhangi bir karışıklık yaşanmamaktadır. Yenisey yazıtları, yukarıda da belirtildiği gibi derli toplu ve bilimsel olarak ilk kez Radloff'un

1895 tarihli *Die alttürkischen Inschriften der Mongolei* adlı eserinde yayımlanır. Radloff, Yenisey yazıtlarını; "Yenisey Yazıtları" ve "Güney Sibirya Yazıtları" adlarıyla iki başlıkta verir. Gerek bu çalışmasında ve gerekse çalışmalarını temel aldığı yazıt atlaslarında, yazıtları bulundukları yerlere göre adlandırır ve çeşitli kısaltmalar kullanır. Orkun'un da Radloff'un kullandığı adlandırma ve kısaltmaları kullandığı anlaşılmaktadır. Malov'un, 1952 yılında yayımlanan çalışmasında 51 yazıt numaralandırılır. Malov'dan sonraki naşirler de genellikle bu numaralandırmaları kullanmış, sonradan bulunan yazıtlara sırayla numara verilmeye devam edilmiştir.

1969 yılında yayımlanan *Drevnetyurkskiy Slovar*'ın yazarları, sözlükte kullandıkları seksen beş Yenisey yazıtının adlarıyla yazıt hakkında kısa bilgiler verir.

Yenisey yazıtlarının künyelerini vermek ve bulundukları yerleri bildirmek amacıyla hazırlanmış bir başka önemli çalışma da Alexander M. Şçerbak'a aittir. "Yeniseyskiye runiçeskiye nadpisi. K istorii otkrıtiya i izuçeniya" adıyla 1970 yılında yayımlanan makalenin giriş bölümünde, Yenisey yazıtlarının kopyalarını alan, müzeye taşımaya yardım eden kişilerin adları ve eserlerinden söz edilir. Makalenin ilerleyen bölümlerindeyse o zamana kadar bilinen yazıtların numaraları ve bulundukları yerler belirtilir. Yazıtlar, müzelere göre sınıflandırılmış olup listeye göre Tuva Müzesi'nde 18, Minusinsk Müzesi'nde 30, Leningrad Antropoloji ve Etnoğrafya Müzesi'nde 5, Helsinki Ulusal Müzesi'nde 1 yazıt bulunmakta olup dikildiği veya yazıldığı yerde bulunanların sayısıysa 18'dir. Şçerbak para, ayna ve metal parçası gibi eşyalar üzerinde yazı bulunan eserleriyse ayrıca sınıflandırır. Bu verilerin, makalenin yayımlandığı 1970 yılı öncesine ait olduğu unutulmamalıdır.

Vasilyev'in "Pamyatniki Tyurkskoy runiçeskoy pis'mennosti Aziatskogo areala" adlı makalesinin ikinci bölümünde, 122 Yenisey yazıtının adlarını ve bunların bir bölümüyle ilgili envanter kayıtlarını verip bu yazıtlar üzerinde yapılan ilk çalışmalardan söz eder.

Vasilyev'in 1983 yılında yayımladığı *Korpus Tyurkskih runiçeskih pamyatnikov basseyna Yeniseya* adlı çalışmasının birinci bölümünde, Uyuk-Tarlak (E 1) yazıtından başlamak üzere toplam 145 yazıtın envanter bilgileri, yazıt üzerinde çalışanlar vs. verildikten sonra, yazıtın harf çevrimli metni, ikinci bölümde 145 yazıtın metin görüntüleri, üçüncü bölümdeyse yazıtlara ait fotoğraflara yer verilir. 1983 yılı itibarıyla Vasilyev'in verdiği son yazıtın numarası 145, adıysa Mugur-Sargol III'tür.

Türk Dünyası Tarih Dergisi'nin 88. sayısında Yenisey yazıtlarının 145'inin adı, L. R. Kızlasov'un "Hakasların Hükümdarlık Ünvanı, "Ajo" ve Yenisey Runik Yazılarının Kullanıştan Kaldırılmasının Zamanı Hakkında" (s. 49-51) başlıklı makalesinin sonunda liste hâlinde verilir.

2002 yılında Yeni Türkiye Yayınları tarafından yayımlanan *Türkler* adlı çalışmaya "Eski Türklerde Dil ve Edebiyat" (c. 2, s. 481-501) başlıklı makaleyle katılan Sema Barutçu Özönder, "Asya Alanı Türk Runik Harfli Yazıtların Bölgelere Göre Dağılımı" başlıklı ana bölümün "Güneydoğu Sibirya'da" başlıklı alt bölümünde, Vasilyev'in verdiği 145 yazıtın ardından 9 yazıt daha ekler. Barutçu Özönder, Güney Yenisey yazıtları olarak nitelendirilip öteki Yenisey yazıtlarından farklı harflere sahip olduğu söylenen ve genellikle Yu, SE veya GY olarak kısaltılan yazıtların da 18'inin adını verir.

Osman F. Sertkaya'nın *Dil Araştırmaları Dergisi*'nin 2. sayısında yayımlanan "Göktürk (Runik) Harfli Yazıtların Envanter, Alfabe ve Bibliyografya Problemleri Üzerine" adlı makalesinde, Vasilyev'in verdiği 145 yazıt, liste hâlinde sıralandıktan sonra Yeerbek I (E 147), Yeerbek II (E 149), Şan'çi III (E 152) yazıtlarının, Kormuşin'in 1997 yılında yayımladığı *Tyurkskiye Yeniseyskiye yepitafii, tekstı i issledovaniya* adlı eserinde bulunduğunu ancak 146 numaralı yazıttan itibaren bir liste yapılmadığından söz eder.

Yenisey yazıtlarıyla ilgili en kapsamlı ve güncel yayın, bu satırların yazarı tarafından 2019 yılında yapılır: *Sibirya'da Türk İzleri, Yenisey Yazıtları.*

Yenisey yazıtlarının numaralandırılan ve numaralandırılmayanları, bilinen tüm adları ve Radloff'un verdiği kısaltmalarla birlikte aşağıda bulunmaktadır:

Numaralı Yenisey Yazıtları

E 1. Uyuk-Tarlak/Uyuk-Tarlık, Radloff: Uj Ta.

E 2. Uyuk-Arjan/Uyuk-Arhan/Uyug-Arhan, Radloff: Uj Ta.

E 3. Uyuk-Turan/Uyug-Turan, Radloff: Uj Tu.

E 4. Ottuk-Daş I/Ulu-Kem Ottok Taş/Tuva B Taşı/Tuvinskaya Stela B, Radloff: Ulug-Kem Ottuk-Tasch.

E 5. Barık I/Barlık I, Radloff: Barlık, Ba. I.

E 6. Barık II/Barlık II, Radloff: Ba. II.

E 7. Barık III/Barlık III, Radloff: Ba. III.

E 8. Barık IV/Barlık IV, Radloff: Ba. IV.

E 9. Kara-Sug/Ulug-Kem-Kara-Sug/ Ulu-Kem-Karasu, Radloff: Ulug-kem-Karassug (UK)

E 10. Elegest I/Eleges I/Elegeş I/Körtle Han, Radloff: Elegesch (UE)

E 11. Begre/Berge, Radloff: Begre (Be)

E 12. Aldıı-Bel I/Ulug-Kem-Kulı -Kem/Ulu-kem Kulikem, Radloff: Ulug-kem-Kulikem (U Ku)

E 13. Çaa-Höl I/Çakul I, Radloff: Die erste Inschrift am Tschakul (Tsch O)

E 14. Çaa-Höl II/Çakul II, Radloff: Die zweite Inschrift am Tschakul (U Tsch. I)

E 15. Çaa-Höl III/Çakul III, Radloff: Die dritte Inschrift am Tschakul (U Tsch. II)

E 16. Çaa-Höl IV/Çakul IV, Radloff: Die vierte Inschrift am Tschakul (U Tsch. III)

E 17. Çaa-Höl V/Çakul V, Radloff: Die fünfte Inschrift am Tschakul (U Tsch. IV)

E 18. Çaa-Höl VI/Çakul VI, Radloff: Die sechste Inschrift vom Tschakul (U Tsch. V)

E 19. Çaa-Höl VII/Çakul VII, Radloff: Die siebente Inschrift am Tschakul (U Tsch. VI)

E 20. Çaa-Höl VIII/Çakul VIII, Radloff: Die achte Inschrift am Tschakul (U Tsch. VII)

E 21. Çaa-Höl IX/Çakul IX, Radloff: Die neunte Inschrift am Tschakul (U Tsch. VIII)

E 22. Çaa-Höl X/Çakul X, Radloff: Die zehnte Inschrift am Tschakul (U Tsch. IX)

E 23. Çaa-Höl XI/Çakul XI, Radloff: Die elfte Inschrift am Tschakul (U Tsch. X)

E 24. Haya-Baji/Haya-Uju/Hemçik Kaya-Bajı/Kemçik Kaya Başı, Radloff: Kemtschik-Kaya-Baschı (KK)

E 25. Oznaçennaya I/Oznaçennoye, Radloff: Osnatschennaya.

E 26. Oçurı/Açura/Açurı, Radloff: Atschura (Atsch)

E 27. Oya, Radloff: Oya

E 28. Altın-Köl I, Radloff: Die erste Inschrift vom Altın-Köl (AA)

E 29. Altın-Köl II, Radloff: Die zweite Inschrift vom Altın-Köl (MM. III)

E 30. Uybat I, Radloff: Die erste Inschrift vom Uibat (Tsch K)

E 31. Uybat II, Radloff: Die zweite Inschrift vom Uibat (MM. I)

E 32. Uybat III, Radloff: Die dritte Inschrift vom Uibat (Tsch M.)

E 33. Uybat IV/Uzun-Oba I, Radloff: Die vierte Inschrift vom Uibat (Us O)

E 34. Uybat V/Kara-Kurgan, Radloff: Die fünfte Inschrift vom Uibat (Ka K)

E 35. Tuba I, Radloff: Die erste Inschrift von der Tuba (Te. I)

E 36. Tuba II/Tes, Radloff: Die zweite Inschrift von der Tuba (Te. II)

E 37. Tuba III/Bogatır/Tes Bahadırı, Radloff: Die dritte Inschrift von der Tuba (Te. III)

E 38. Ak-Yüs I/Togus-As I/Ak-İyus, Radloff: Ak-Yüs (AJ)

E 39. Kara-Yüs I/Kara-Yus I/Kara İyus, Radloff: Kara-Yüs (KJ)

E 40. Taşeba/Taşoba, Radloff: Tascheba (T)

E 41. Hemçik-Çırgakı/Kemçik-Cirgak

E 42. Bay-Bulun I/Minusinsk Müzesi Anıtı/Minusinsk Müzesi'ndeki Bir Yazıt

E 43. Kızıl-Çıraa I/Ulu-Hem/Ulug-Kem

E 44. Kızıl-Çıraa II

E 45. Köjeelig-Hovu/Kejeelig-Hovu

E 46. Telee/Izhim-Telee

E 47. Süci/Suci/Bel

E 48. Abakan

E 49. Bay-Bulun II/Birinci Tuva Yazıtı

E 50. Tuva B/İkinci Tuva Yazıtı

E 51. Tuva D/Üçüncü Tuva Yazıtı

E 52. Elegest II/Elegeş II/Eleges II/Kezelekh-Tagh

E 53. Elegest III/Elegeş III/Eleges III

E 54. Ottuk-Daş III

E 55. Tuva G/Tuva Dikili Taşı

E 56. Malinovka/Malinovki

E 57. Saygın/Borbak-Arıg

E 58. Kezek-Hüree

E 59. Herbis-Baarı/Oust-Elegest

E 60. Sargal-Aksı/Sarkol-Agzı

E 61. Suglug-Adır-Aksı/Şançi I

E 62. Kanmııldıg-Hovu/Şançi II

E 63. Ortaa-Hem

E 64. Ottuk-Daş II

E 65. Kara-Bulun I

E 66. Kara-Bulun II/Bagıra/Bagır

E 67. Kara-Bulun III

E 68. El-Bajı

E 69. Çer-Çarık

E 70. Elegest IV/İr-Hol'

E 71. Podkuninskaya

E 72. Aldıı-Bel' II

E 73. İyme I

E 74. Samagaltay

E 75. Kuten-Buluk

E 76. Ayna I/Ayna Parçası I/Zerkalo I

E 77. Ayna II/Ayna Parçası II/Zerkalo II

E 78. Para I/Sikke I/Moneta I

E 79. Para II/Sikke II/Moneta II

E 80. Kemer Takımındaki Bronz Levha (Bellık Köyü)

E 81. Kopön Altın Küp I/Kopyon-Altın Kap I/Altın Şişecik/Altın Sürahi/Zolotoy Sosud I/Zolotaya Butıloçka/Altın-Kumıra I

E 82. Kopön Altın Küp II/Kopyon-Altın Kap II/Altın Şişecik/Altın Küp/Zolotoy Sosud II/Zolotaya Krinka/Altın-Kumıra II

E 83. Uybat VII/Uybat Gümüş Kap

E 84. Ayna III/Ayna Parçası III/Zerkalo III

E 85. Ayna IV/Ayna Parçası IV/Zerkalo IV

E 86. Oçurı'dan Taş Tılsım/Galka Tılsımı/Galka-Talisman

E 87. Taş Ağırşak I / Ağırşak / Kamennoye Pryaslitse I

E 88. Ağırşak-Damga/Ağırşak-Mühür/Pryaslitse-peçat'

E 89. Övür I/Ovyur I

E 90. Övür II/Ovyur II

E 91. Bedelig Valun/Bedelig Nehir Yatağı Taşı

E 92. Demir-Sug

E 93. Yır-Sayır I/Yur-Sayır I

E 94. Yır-Sayır II/Yur-Sayır II

E 95. Hemçik-Bom I

E 96. Hemçik-Bom II

E 97. Hemçik-Bom III

E 98. Uybat VI/Uybat Sabrası

E 99. Ortaa-Tey

E 100. Bayan-Kol

E 101. Baykalovo

E 102. Arjan I/Arcan I

E 103. Arjan II/Arcan II
E 104. Oznaçennaya II
E 105. Tuva Koleksiyonu'ndaki Levha/Tuva Müzesi'n-deki Dikili Taş
E 106. Çerbi
E 107. Hadınnıg
E 108. Uyuk-Oorzak I
E 109. Uyuk-Oorzak II
E 110. Uyuk-Oorzak III
E 111. Tepsey I
E 112. Tepsey II
E 113. Tepsey III
E 114. Tepsey IV
E 115. Tepsey V
E 116. Tepsey VI
E 117. Tepsey VII
E 118. Turan I
E 119. Saglı/Saglı'daki Balbal Yazıtı
E 120. Tugutüp I/Krasnoyarsk Müzesi'ndeki Dikili Taş I
E 121. Tugutüp II/Krasnoyarsk Müzesi'ndeki Dikili Taş II
E 122. İyme II/İyme Yakınındaki Heykel Duvarı
E 123. Tepsey VIII
E 124. Tepsey IX
E 125. Tepsey X
E 126. Tepsey XI
E 127. Ayna V/Zerkale iz Minusinska
E 128. Ayna Parçası VI
E 129. Ayna Parçası VII
E 130. Ayna Parçası VIII
E 131. Bronz Levha/Bronz Söve Pervazı
E 132. Uybat VIII/Uybat Çaa-Tas Taşı
E 133. Kopön Altın Küp III/ Kopyon Çaa-Tas Taşı
E 134. Ust-Sos

E 135. Ust-Kulog

E 136. Mugur-Sargol I

E 137. Kres-Haya

E 138. Kara-Yüs II/Ozernaya

E 139. Çaptıkov Taşı/Çaptık Taşı

E 140. Mugur-Sargol II

E 141. Aymırlıg Kurganı'ndan Yay Kılıfı I/Aymırlıg Kurganı'ndan Yay Kaplaması I/Boynuzdan Yay Üzerindeki Yazıt I

E 142. Aymırlıg Kurganı'ndan Yay Kılıfı II/Aymırlıg Kurganı'ndan Yay Kaplaması II/Boynuzdan Yay Üzerindeki Yazıt II

E 143. Ayna Parçası IX

E 144. Novosyolovo

E 145. Mugur-Sargol III

E 146. -

E 147. Yeerbek I

E 148. -

E 149. Yeerbek II

E 150. -

E 151. -

E 152. Şançi III/Şançi II

E 153. Alaş I

E 154. Alaş II

Numarasız Yenisey Yazıtları

Lisiç'ya I

Lisiç'ya II

Kök Haya

Kunya Dağı Kaya Yazıtı

Beyskoye Köyü'nden Gümüş Kama

Knışi Köyü'nden Bronz Ayna Starı

Kamenka Köyü'nden Bronz Para

Bronz Para-Krasnoyarsk
Devlet Ermitajı'ndan Gümüş Kap
Kulplu Sedyarski Maşrapası
Kulplu Gümüş Maşrapa
Adrianov Koleksiyonu'ndan Bir Yazıt
Sargol
Ozernaya II
Edegey I
Edegey II
Edegey III
Çinge
Edegey IV
Edegey V
Edegey VI

Dağlık Altay Yazıtları

Dağlık Altay bölgesi de eski Türk yazıtlarını barındıran önemli bölgelerden biridir. Bugün Rusya Federasyonu'na bağlı Dağlık Altay Özerk Cumhuriyeti sınırları içerisinde yer almaktadır. Bu bölgedeki yazıtların, ilk bulunan ve bilinen yazıtlar olarak kaydedilmesi gerekir. Ancak Dağlık Altay bölgesi de temelde Güney Sibirya bölgesinde yer almasına karşın genel kanaat olarak Yenisey yazıtlarından ayrı olarak değerlendirilmiştir. Son yıllarda Larissa N. Tıbıkova, Irina. A. Nevskaya ve Marcel Erdal'ın yürüttüğü "Dağlık Altay Yazıtları Projesi" çerçevesinde bu bölge yazıtlarının yeni estampajları alınmış, yeni okuma ve anlamlandırmalar yapılmıştır. Tüm bu veriler, https://www.altay.uni-frankfurt.de/ internet adresine konmuş, ayrıca Rusça ve İngilizce bilgilerin yanında, yazıtların fotoğraf ve çizimleri de verilmiştir. Ayrıca tüm materyal, 2012 yılında katalog olarak Dağlık Altay Cumhuriyeti'nin başkenti Gorno-Altaysk'da yayımlanmıştır: *Katalog Drevnetyurkskih Runiçeskih Pamyatnikov.*

Aşağıdaki listede Dağlık Altay bölgesi yazıtlarının tümünün adları bulunmakta olup yazıtın numaraları ve adları yukarıda anılan kitaptan ve öteki yayınlarla karşılaştırılmak suretiyle elde edilmiştir:

A 1. Çarış

A 2. Katanda

A 3. Tuekta I

A 4. Kuray I

A 5. Kuray II

A 6. Mendur-Sokkon I-1

A 7. Mendur-Sokkon I-2

A 8. Mendur-Sokkon I-3

A 9. Mendur-Sokkon I-4

A 10. Mendur-Sokkon II

A 11. Mendur-Sokkon III

A 12. Mendur-Sokkon IV

A 13. Biçiktu-Boom I

A 14. Biçiktu-Boom II-1

A 15. Biçiktu-Boom II-2

A 16. Biçiktu-Boom III

A 17. Biçiktu-Boom VI

A 18. Bar Burgazı I

A 19. Adır Kaya/Adır-Kan

A 20. Taldu-Ayrı

A 21. Bar Burgazı II

A 22. Bar Burgazı III

A 23. Yalbak-Taş I/Kalbak-Taş I

A 24. Yalbak-Taş III/Kalbak-Taş III

A 25. Yalbak-Taş IV-VI/Kalbak-Taş IV-VI

A 26. Yalbak-Taş V/Kalbak-Taş V

A 27. Yalbak-Taş VII/Kalbak-Taş VII

A 28. Yalbak-Taş VIII/Kalbak-Taş VIII

A 29. Yalbak-Taş IX/Kalbak-Taş IX

A 30. Yalbak-Taş X/Kalbak-Taş X

A 31. Yalbak-Taş XI/Kalbak-Taş XI

A 32. Yalbak-Taş XII/Kalbak-Taş XII

A 33. Yalbak-Taş II-XV/Kalbak-Taş II-XV

A 34. Jalgız-Töbe I

A 35. Jalgız-Töbe II

A 36. Mendur-Sokkon V

A 37. Biçiktu-Boom XI-XII

A 38. Mendur-Sokkon IX

A 39. Yalbak-Taş XIII/Kalbak-Taş XIII

A 40. Yalbak-Taş XVII/Kalbak-Taş XVII

A 41. Yalbak-Taş XVIII/Kalbak-Taş XVIII

A 42. Yalbak-Taş XIX/Kalbak-Taş XIX

A 43. Yalbak-Taş XX/Kalbak-Taş XX

A 44. Yalbak-Taş XXI/Kalbak-Taş XXI

A 45. Yalbak-Taş XXII/Kalbak-Taş XXII

A 46. Yalbak-Taş XXIII/Kalbak-Taş XXIII

A 47. Yalbak-Taş XXIV/Kalbak-Taş XXIV

A 48. Yalbak-Taş XXVI/Kalbak-Taş XXVI

A 49. Kupçegen

A 50. Karban

A 51. Tuekta II

A 52. Tuekta III

A 53. Teke-Turu

A 54. Biçiktu-Boom IV

A 55. Biçiktu-Boom V

A 56. Yalbak-Taş XIV/Kalbak-Taş XIV

A 57. Yalbak-Taş XVI/Kalbak-Taş XVI

A 58. Yalbak-Taş XXX/Kalbak-Taş XXX

A 59. Yalbak-Taş XXXI/Kalbak-Taş XXXI

A 60. Yalbak-Taş XXV/Kalbak-Taş XXV

A 61. Yalbak-Taş XXVII/Kalbak-Taş XXVII

A 62. Yalbak-Taş XXVIII/Kalbak-Taş XXVIII

A 63. Yalbak-Taş XXIX/Kalbak-Taş XXIX

A 64. Manırlu-Kobı I
A 65. Manırlu-Kobı II
A 66. Sogodek
A 67. Tekpenek
A 68. Çirik-Taş
A 69. Biçiktu-Boom VII
A 70. Kara-Boom/Semisart
A 71. Mendur-Sokkon VII
A 72. Ustyugi Sarı-Kobı
A 73. Mendur-Sokkon VI
A 74. Sakıyla-Kobı I/Belıy-Boom I
A 75. Sakıyla-Kobı II/Belıy-Boom II
A 76. Biçiktu-Boom VIII
A 77. Biçiktu-Boom X
A 78. Kurgak I
A 79. Kızıl-Kabak I
A 80. Kızıl-Kabak II
A 81. Biçiktu-Boom IX
A 82. Mendur-Sokkon VIII
A 83. Bolşoy-Yaloman
A 84. Yabogan
A 85. İnegen I/Nijniy İnegen/Kızık Telan
A 86. İnegen II/Nijniy İnegen/Kızık Telan
A 87. Kurgak II
A 88. Tuekta IV
A 89. Ust-Uba
A 90. Tuekta V

Kırgızistan (Tanrı Dağları) Yazıtları

Kırgızistan veya öteki adıyla Tanrı Dağları yazıtları da ilk bilinen ve bulunan yazıtlar olarak değerlendirilmektedir. Bu yazıtlar üzerinde de epeyce çalışma yapılmıştır. Özellikle Talas yazıtlarının oval biçimli taşlar üzerine yazılmasıyla, yazıtlardaki *otuz oglan* gibi öteki yazıtlarda hiç karşılaşılmamış sözcük ve sözcük gruplarının elde edilmesi, araştırmacıların dikkatini çekmiştir. 2014 yılında Rysbek Alimov'un hazırladığı *Tanrı Dağı Yazıtları, Eski Türk Runik Yazıtları Üzerine Bir İnceleme* başlıklı çalışma, bu bölge yazıtları için kapsamlı ve güncel bilgilerle yazıtların yeni bir yayımını içermektedir.

Aşağıdaki liste, Alimov'un çalışması temel alınarak hazırlanmıştır:

1. Talas I
2. Talas II
3. Talas III
4. Talas IV
5. Talas V
6. Talas VI
7. Talas VII
8. Talas VIII
9. Talas IX
10. Talas X
11. Talas XI
12. Talas XII
13. Talas XIII
14. Talas XIV
15. Talas XV (Kuru Bakayır)
16. Talas XVI (Taş Maske)
17. Koy Sarı
18. Ak Ölön
19. Koçkor I
20. Koçkor II
21. Koçkor III
22. Koçkor IV
23. Koçkor V
24. Koçkor VI
25. Koçkor VII

26. Koçkor VIII
27. Koçkor IX
28. Koçkor X
29. Koçkor XI
30. Koçkor XII
31. Koçkor XIII
32. Koçkor XIV
33. Koçkor XV
34. Koçkor XVI
35. Koçkor XVII
36. Koçkor XVIII
37. Koçkor XIX
38. Koçkor XX
39. Koçkor XXI
40. Koçkor XXII
41. Koçkor XXIII
42. Koçkor XXIV

Çin Halk Cumhuriyeti Yazıtları

Çin Halk Cumhuriyeti sınırları içerisinde de Türk runik harfli yazıtların olduğu bilinmektedir. Bu yazıtların bir bölümü ilk, bir bölümüyse son zamanlarda bulunanlardır. Yazıtlar, Doğu Türkistan bölgesi başta olmak üzere, ülkenin farklı coğrafyalarında ele geçmiştir. Çin'de ele geçmiş yazıtlar da öteki bölgelerde yer alan yazıtlardaki harflerle temelde aynıdır. Bu da Asya coğrafyasının türlü yerlerinde aynı yazı kültürünün, yaygın bir biçimde kullanıldığına işaret olarak değerlendirilmelidir.

Çin Halk Cumhuriyeti'nde bulunan yazıtlar hakkındaki ilk bilgiler Doğu Türkistan sınırları içerisinde yer alan Turfan kent merkezi yakınlarındaki Yar-hoto adıyla da bilinen Yar-gol'daki mağara duvarı yazıtlarıyla ortaya çıkmaya başlamıştır. Dmitriy A. Klementz'in 1899'da yayımlanan "Turfan und seine Alterthümer" adlı çalışmasında, bu mağara duvarı yazıtlarından 13'ü yer almaktadır. Bu 13 yazıt, W. Radloff'un 1899 yılında yayımlanan "Altuigurische Sprachproben aus Turfan" adlı çalışmasında da yayımlanır.

Hüseyin Namık Orkun ise Klementz ve Radloff'un verdiği 4 ve 7 numaralı metinleri, *Eski Türk Yazıtları* adlı kitabının 1940 tarihli üçüncü cildinde yayımlar. Thomsen'in asistanı Kurt Wulff'un hem Helsinki hem de St. Petersburg'daki kopyalardan elde ettiği fotoğraflardan oluşan materyal bugün Danimarka'nın başkenti Kopenhag'da bulunmaktadır. Marcel Erdal ise 1993 yılında yayımlanan "The runic graffiti at Yar Khoto" makalesinde Thomsen ve Wulff'un materyallerini de incelemek suretiyle Yar-gol'daki mağara duvarı yazıtlarının yeni bir yayımını yapar. Cengiz Alyılmaz'ın Çin Halk Cumhuriyeti'ndeki yazıtları konu alan *İpek Yolu Kavşağının Ölümsüzlük Eserleri* başlıklı çalışması da derli toplu bir yayın olarak değerlendirilebilir. Ayrıca bu satırların yazarı, 2021 yılında yayımlanan *Bozkırın Tanıkları, Eski Türkçe Yazıtlar* başlıklı kitabında Çin Halk Cumhuriyeti'nde yer alan yazıtlardan Karı Çor Tegin (Xi'an), Cimsar, Kumtura ve Hoten Çubuğu'nun tanıtımını ve yeni bir yayımını yapar.

Aşağıda, yazıtların bir listesi ve yazıtlara verilen türlü adlar yer almaktadır:

1. Karı Çor Tegin/Xi'an

2. Cimsar/Yemiş Tutuk

3. Çagan Obuga/Yorçı

4. Turfan'da Bulunan Çince Tapınak Kitabesi Üzerindeki Yazıt I / Kutlug Kunçuy

5. Turfan'da Bulunan Çince Tapınak Kitabesi Üzerindeki Yazıt II / Śāriputri / Saripu

6. Yar-gol/Yar-Hoto Mağara Duvarı Yazıtları

7. Kumtura I

8. Kumtura II

9. Hoten Çubuğu

ÜÇÜNCÜ BÖLÜM

ESKİ TÜRK YAZITLARI DÖNEMİ

Eski Türk Yazıtları Dönemi Türkçesinin Genel Yapısı

Köktürkçe, Eski Uygur Türkçesi ve Karahanlı Türkçesi diye sınıflandırmanın yaygın olduğu eski Türkçe döneminin ilk bölümü, eski Türk yazıtlarının yazıldığı dönemdir. Bu dönemin adlandırılmasında da çeşitlilik bulunmaktadır. Köktürkçe, Orhon/Orhun Türkçesi, Yazıtlar Dönemi Türkçesi vs.

Eski Türk yazıtlarının neredeyse tamamına yakınında herhangi bir tarih kaydı olmamakla birlikte, İlteriş Kağan'ın adının geçmesi, dolayısıyla Çoyr (Çöyr~Çoyren) yazıtının en eski tarihli yazıt olarak kabul edilmesi hâlinde, bu yazıtı 690'lı yılların başına yerleştirmek mümkündür. Dolayısıyla Türk runik harfli yazıtlar dönemi Türkçesini, 690'lı yıllardan itibaren başlatmak gerekir. Bitişiniyse Uygur Kağanlığı'nın geç dönem yazıtlarından I. Karabalgasun yazıtına kadar götürmek mümkündür. Ancak kâğıda yazılı olan ve yine tarih kaydı bulunmayan metinlerle bunların en ünlüsü ve biricik kitap *Irk Bitig*'in bu döneme konup konmaması tartışılabilir. Kâğıda yazılı metinler, alfabe bakımından aynılık gösterse de bu metinlerin, 840'ta gerçekleşen Kırgız baskını sonucunda Türk boylarının Kuzey ve Kuzeybatı Çin'e yerleşmeleri sonucunda, başta Uygurlar olmak üzere Türk kökenli boylarca, yeni yurtlarında yazıldığı anlaşılmaktadır. Bu nedenle kâğıda yazılı Türk runik harfli metinlerin, yazıtlar dönemi Türkçesi içerisinde değerlendirilip değerlendirilmemesi gerektiği konusu açıklık kazanmamaktadır. Ancak dil araştırmalarında harflerin benzerliği, ortak kültürel öğeler gibi sıradan başlıklardan çok, ses ve biçim bilgisi özellikleri bakımından incelemenin daha doğru olduğu iyi bilinen bir konudur. Dolayısıyla bu metinleri, yazıtlar dönemi Türkçesi yerine, eski Uygur Türkçesi dönemi içerisinde değerlendirmek daha uygun olacaktır. Ayrıca Uygurların 762'den itibaren Manihaizmi resmî devlet dini olarak kabul etmesi, son dönem yazıtlarında etkisini gösterse de bu durumun dil araştırmalarının ses ve biçim bilgisi bahsi için büyük bir önemi ve değeri bulunmadığını eklemek yararlı olacaktır.

Eski Türk Yazıtları Dönemi Türkçesinin Ses Bilgisi Özellikleri

Eski Türk yazıtları dönemi, Türkçenin bilinen ilk yazılı dönemi olduğu için Türkçenin ses, biçim, anlam, cümle ve sözlük bilgisi bakımından ilk örnekleri elde edilmektedir. Doğal olarak yeni metinler ele geçtikçe dil bilgisinin bu kollarıyla ilgili bilgilerin artmasına, ayrıca daha eski örneklerle karşılaşılmasına da imkân sağlayacaktır.

Ses bilgisinin en küçük birimi olan sesleri doğru verebilmek için, alfabede yer alan harflere doğru ses değeri vermek kaçınılmazdır. Türk runik alfabesindeki harflerin ses değerleri Thomsen'in çözümünden bugüne kadar bazı sorunları da beraberinde getirmiştir. Alfabedeki bazı harflerin tam olarak hangi sesleri karşıladığı konusunda bugün de tartışmalar sürmektedir.

Eski Türkçenin bu ilk dönemiyle ilgili yazılan dil bilgisi çalışmaları, daha çok ya genel bir eski Türkçe dil bilgisi ya da yazıt metinleri verilirken dönemin ses bilgisi özelliklerinin verilmesi biçimindedir. Örneğin bu konuda ilk yayın olma özelliği taşıyan Radloff'un 1895 tarihli çalışmasının özellikle notlar bölümünde, yazıtlar dönemi Türkçesinin genel ses bilgisi özelliklerine de değinilmiştir. Aynı şeyi Thomsen'in 1896 yılındaki "Turcica" makalesi ve öteki yayınları için de söylemek mümkündür.

Doğrudan eski Türkçe gramer hazırlayan Annemarie von Gabain'in 1988 yılında yayımlanan ve *Eski Türkçenin*

Grameri adıyla Türkçeye çevrilen eserini, Talat Tekin'in 1968 yılında yayımlanan *A Grammar of Orkhon Turkic* ve bunun genişletilmiş Türkçe çevirisi *Orhon Türkçesi Grameri* ve Marcel Erdal'ın 1991 yılında yayımlanan iki ciltlik *Old Turkic word formation. A Functional Approach to the Lexicon I-II* ile 2004 yılında yayımlanan *A Grammar of Old Turkic* adlı çalışmaları da anmak gerekir.

Aşağıdaki bölümde, Türk runik harfli eski Türk yazıtları dönemi Türkçesinin ses bilgisine ana hatlarıyla değinilecek, ayrıca tartışmaların devam ettiği bazı konular üzerinde durulacaktır.

Ünlüler

Türk runik alfabesi, 1 Kasım 1928'de Mustafa Kemal Atatürk önderliğinde kabul edilen Latin temelli yeni Türk harflerinden sonra, kullanışlılığı ve sesleri ifade etmesi bakımından en gelişmişidir. Çünkü kapalı *e* sesi de dâhil olmak üzere dokuz ünlü, dört işaretle gösterilmiştir. Yenisey yazıtlarının bir bölümünde kapalı *e* sesi için ayrı bir işaretin bulunması, ünlüleri gösteren harf biçimlerinin dörtten beşe çıkmasına neden olmaktadır. Bunlar: *a/e* (𐰀), *ı/i* (𐰃), *o/u* (𐰆), *ö/ü* (𐰇) ve kapalı *e* (𐰅).

Ünlülerin yazımında belirli kuralların yanında, sözcüklerin yazımında genel bir tasarruftan söz etmek gerekir. Taş üzerine yazı yazmanın zorluğu göz önüne alındığında bu tasarruf anlaşılabilir bir durumdur. Buna göre sözcük içindeki ünlü kısa olduğu sürece genellikle yazılmamıştır. Ancak bunu genel bir kurala bağlamak, sözcüklerdeki ünlülerin yazımında belirli bir tutarlılıktan söz etmek yine de güçtür.

Kağanlar ve beyler için yazdırılan kitabelerin yazımında, genel bir kurala bağlılıktan söz etmek mümkün gibi görünse de bu durum, eski Türk yazıtlarının tümü için geçerli değildir. Türkçenin sonraki dönemlerde kullandığı alfabelerden, örneğin Arap harfli metinlerin yazımında da eklerdeki ünlülerin yazılmadığı bilinmektedir. Benzer bir durumu Türk runik harfli eski Türk yazıtlarının yazımı için de ifade etmek mümkündür.

Eski Türk yazıtlarındaki tek noktalama işareti, üst üste konmuş iki noktadır. Asıl amacı, sözcükleri birbirinden ayırmak olsa da birçok yerde, özellikle Yenisey, Dağlık Altay ve Kırgızistan yazıtlarında sözcüğün içine de konduğuna dair örnekler bulunmaktadır. Hâliyle, sözcük içine konan bu noktalama işareti, sözcüğün ikiye bölünmesine neden olmaktadır. İki farklı sözcük gibi algılamanın da mümkün olmasından ötürü, bu noktalama işaretinin bulunduğu yerlerde çok dikkatli olmak gerekmektedir. Ayrıca işaretin sözcük içine konduğu örneklerin, ses bilgisi bakımından bir değeri olmadığını, yazıcının dikkatine bağlamanın daha uygun olduğunu da eklemek yararlı olacaktır.

Sözcük başı ve içindeki *a* ve *e* ünlülerinin genellikle yazılmamasının, sözcüğün okunup anlaşılmasında epeyce bir soruna neden olduğunu belirtmek gerekir. Özellikle Türkçenin ses bilgisi kuralları çerçevesinde, sözcük başında bulunmayan bir ünsüz varsa, sözcüğün ünlüyle başladığı kolaylıkla anlaşılabilir. Ancak sözcük, başta bulunabilen bir ünsüzle başlıyorsa bu durumda sözcüğü tespit etmek güçleşir. Çünkü sözcük, ünlüyle başlayabileceği gibi ünsüzle de başlayabilir.

Türk runik harfli eski Türk yazıtlarında yabancı sözcüklerin yazımında belirli bir kural ve yazım tutarlılığından söz edilebilir. Bu sözcüklerin yazımında hiçbir farklılığın göze çarpmaması, sözcüğün Türkçe olup olmaması konusunda bir denetleme aracı olarak da kullanılabilir. Örneğin Çinceden ödünçlendiğinde kuşku bulunmayan ve "hükümdarın kızı, prenses" anlamına gelen *kunçuy* (Gongzhu 公主) sözcüğü, Moğolistan bölgesindeki yazıtlarda "kağanın kızı veya kız kardeşi", Yenisey bölgesi yazıtlarındaysa "eş, zevce" anlamında kullanılmıştır. Bir ödünçleme sözcüğün her yazıt bölgesinde farklı bir anlamla yaşaması anlaşılabilir olsa da tüm bölgelerdeki yazıtlardaki yazımı, tartışmasız aynı biçimdedir: (D3>↓). Sözcüğün yanlış ve farklı yazımıyla ilgili şu bilgileri de eklemek kuşkusuz yararlı olacaktır: Bömbögör yazıtının ikinci satırında soldan sağa (↓>3D) yazılmış, yalnızca Bilge Kağan yazıtının doğu yüzünün 17. satırındaysa, ilk hecedeki ünlünün yazımı unutulmuştur (D3↓). Yazıtlar döneminden aşağı yukarı üç yüz yıl kadar sonra yazılmış Kâşgarlı Mahmud'un *Dîvânu Lügâti't-Türk*'ünde verdiği "hatundan bir derece aşağıda bulunan kadın, bige, prenses. Buradan alınarak *katun kunçuy* denir," anlamı, sözcükte yaşanan anlam değişimlerini görme açısından önemlidir.

Ünsüzler

Türk runik alfabesinde bazı ünsüzlerin art ve ön ünlülü biçimleri varken bazılarının yalnızca tek bir biçimi vardır. Üç işaretse çift ünsüzlerin yazımını göstermektedir. Ancak bu ünsüz çiftleri her zaman bu işaretlerle yazılmamıştır. Bunlar; *lt* (𐰡), *nç* (𐰨) ve *nt* (𐰦, 𐰧) işaretleridir.

Eski Türk yazıtlarında *b, d, g, k, l, n, r, s, t* ve *y* ünsüzleri, ön ve art ünlülü biçimleri göstermek üzere alfabede ikişer işaretle belirlenmiştir. Bu nedenle özellikle az satırlı küçük yazıtlarda harflerin birbirinin yerine yazıldığına dair çok sayıda örneğe rastlanmaktadır. Büyük kağanlık yazıtlarında bu durumun örneği az olsa da özellikle Yenisey, Dağlık Altay ve Kırgızistan bölgesi yazıtlarında çok sayıda örnekle karşılaşılması yazım yanlışı olabilir. Fakat en azından bir bölümünün diyalekt özelliklerinden kaynaklanabileceğini de göz önüne almak gerekmektedir.

En önemli yazım sorunlarından biri kimi yazıtlarda ön ünlülü *s*'lerin art ünlülerle birlikte gelmesi gereken *ş* ile yazılmasıdır. Harfin bulunduğu sözcükleri, özellikle öğrenilen geçmiş zaman ekini, naşirler ya yazımdan uzaklaşarak bugün Türkiye Türkçesinde olduğu gibi artlık-önlük uyumu kuralına uydurmayı ya da yazıldığı biçimde okumayı tercih etmişlerdir. Bu da okuyuş farklılıklarına neden olmaktadır. Ancak işaretin yazımındaki farklılıklar nedeniyle, özellikle *-mış* öğrenilen geçmiş zaman ekinin artlık-önlük uyumu kuralına uymadığını da eklemek yararlı olacaktır.

Eski Türk yazıtları dönemi Türkçesinin yazımıyla ilgili bir başka sorun da bazı kural dışı yazımların yanlış yazım mı yoksa yazıtın yazıcısının diyalektine bağlı olarak diyalektik özellik mi olduğudur. Örneğin Yenisey bölgesinden Hemçik-Çırgakı (E 41) yazıtında ön ünlülü *k* ile yazılması gereken kimi sözcükler ön ünlülü *g* ile yazılmıştır. Bu durum yazıta özgü bir tür dikkatsizlikle açıklanabileceği gibi, yazarın diyalekt özelliğiyle ilgili olması da mümkündür. Hemçik-Çırgakı (E 41) yazıtının yazıcısının diyalektinde ötümlüleşme yani *k>g* gelişimi gösteren sözcükler şöyledir: *dakı<takı, gün<kün, gerçin<kerçin, gėyik<kėyik.*

Yine Yenisey bölgesinden Malinovka (E 56) yazıtında da *gut eş* veya *gutaş* diye yazılan sözcük grubundaki sözcük, eğer *kut* ise o zaman ya yazıcı yanlış yazmış ya eski Türk yazıtlarında görülen bir başka diyalekt özelliği ya da erken bir ötümlüleşme örneği elde edilmektedir. Şançi III (E 152) yazıtında *esisim* sözcüğünün yazımında, ikinci *s* harfinin *z* olması gerekir. Bu da yanlış yazım veya diyalekt özelliği kaynaklı olarak değerlendirilebilir. Özellikle Yenisey yazıtlarında bu türden farklı yazımlara sıklıkla rastlanmaktadır.

Sözcük içi ve sonu ön veya art ünlülü *b* seslerinin okunmasında da bir birlikten söz etmek güçtür. Kimi naşirler *b* ile okurken kimileriyse *w/v* biçiminde okumaktadır. Bu tipte okuyanlar, sözcük içi ve sonundaki bu sesin *b* ile *v* arasında olduğu ancak yazımda gösterilmediği sonucuna ulaşmaktadır. Bu da bu sesin farklı yazı çevrimi (transkripsiyon) işaretleriyle gösterilmesine neden olmaktadır: *b, w, v, β*.

Sözcük içi ve sonu *b* sesinin yazımda gösterilmemesi konusunda benzer bir ses de sözcük başında bulunması gereken *h-* sesidir. Dil bilimi ve Altay dilleri teorisi açısından *p>f>h>ø* kuralına göre, yazıtlar dönemi Türkçesi veya biraz daha öncesinde, sözcük başında *h-* sesi bulunan bir dönem olması gerekir. Neredeyse Gerhard Doerfer'in sistemleştirdiği ancak kimi araştırmacılarca pek de kabul görmeyen sözcük başındaki *h-* sesiyle ilgili önemli bir külliyat bulunduğunu da eklemek gerekir.

Eski Türk yazıtları döneminin ses bilgisi bakımından üzerinde uzlaşmaya varılamamış başka bir konusu da sözcük içi ve sonundaki *d* sesinin durumudur. Bilindiği gibi bu ses, Türkçenin sonraki dönemlerinde sızıcılaşarak *d>ḍ/ḏ/δ/ẕ* hâlini alıp ardından tarihî ve çağdaş Türk yazı dillerinin büyük bir bölümünde *y* sesine gelişmiştir. Aslında bu ses olayının *Kutadgu Bilig* ve *Dîvânu Lügâti't-Türk*'ten itibaren Arap harfleriyle peltek *z* (*ḍ/ẕ*) ile yazılmasıyla başladığı genel kanaat gibi görünse de eski Türk yazıtları üzerinde çalışan bazı araştırmacılar, bu sızıcılaşma olayının yazıtlar dönemi Türkçesinden itibaren görülmeye başlaması gerektiği ancak bunun Türk runik harf sisteminde ayrı bir işaretle gösterilmediği kanaatindedir. Örneğin, bu sesi Clauson *ḏ*, Berta ise *δ* işaretiyle göstermeyi tercih etmiştir.

Eski Türk yazıtları Türkçesinin ses bilgisi bakımından bir başka önemli sesi de *ñ*'dir (*ny*). Bazı naşirler çift ünsüzün yazımı olarak ifade etseler de gerçekte asli bir sestir. Sözcük başında bulunmayan bu ses için Türk runik harfli eski Türk yazıtlarının tümü için şu veriler ortaya çıkmaktadır:

Sözcük ortasında

İsim	**Fiil**
añıg 'kötü' (7 kez)	*añıt-* 'korkutmak' (1 kez)
büñi 'kişi adı' (1 kez)	
kañu 'hangi' (1 kez)	
kañuy 'yer adı' (2 kez)	
toñın taş 'yer adı' (2 kez)	
toñlug 'anlamı açık değil' (1 kez)	
toñukuk 'kişi adı' (12 kez)	
turña 'turna' (1 kez)	

Sözcük sonunda

İsim	**Fiil**
çıgañ 'yoksul' (8 kez)	*yañ-* 'dağıtmak, mahvetmek' (8 kez)
kıtañ 'Kitan halkı' (17 kez)	
koñ 'koyun' (10 kez)	
sañ 'anlamı açık değil' (1 kez)	
tañ 'tay' (3 kez)	

Yukarıdaki verilere göre *ñ* (*ny*) sesi, sözcük ortası veya sonu isim olarak 13 defa, fiil olarak ise 2 kez örneklenmektedir. Ayrıca yalnızca 2 kez bulunan *kıña/-kiñe*'yi belirtmek gerekir. Bu sesin eski Uygur Türkçesi döneminden itibaren *n* ve *y* sesi olarak ayrı ayrı yaşadığı, hatta Maihaist çevre metinlerinde *n*, Budist çevre metinlerinde ise *y* tarafında olduğu genel bir kanaat olarak kaynaklarda kendine yer bulsa da son yıllarda yapılan önemli araştırmalar sayesinde, bu sesin eski Uygur Türkçesinin Manihaist metinlerinde *n*, Budist metinlerinde *y* olarak yaşamına devam ettiği görüşünün doğru olmadığı ortaya çıkmıştır. Bu konuyla ilgili Klaus Röhrborn ve Ferruh Ağca'nın çalışmaları dikkate değerdir.

Yukarıda belirtilen ses bilgisi özellikleri konusunda Köl Tegin, Bilge Kağan, Tonyukuk, Ongi, Küli Çor, Tariat ve Şine Usu gibi devletin kağanları ve yöneticileri için daha özenli yazılmış yazıtlardaki yazımların bir anahtar görevinde olduğunu eklemek yararlı olacaktır. Çünkü bu yazıtların yazıcıları, harfleri taşa aktaran usta bedizçiler yani taş işleme ustaları olduğu, dolayısıyla bu ustaların elinden çıkan metinlerde hataların da az olduğu hatırdan çıkarılmamalıdır. Herhangi bir yazıtta farklı bir yazıma rastlandığında, üstte adı anılan yazıtlardaki biçimle karşılaştırarak doğru yazım elde edilebilir.

Eski Türk Yazıtları Döneminin Biçim Bilgisi Özellikleri

Biçim bilgisi yani sözcük köklerinin ardında bulunan eklerin ilk hâlleriyle bu dönemde karşılaşılmaktadır. Eklerin tespit edilmesinde en önemli karşılaştırma aracı, eski Uygur Türkçesi metinleri başta olmak üzere, Türkçenin sonraki dönem metinleridir. Özellikle *Kutadgu Bilig* ve *Dîvânu Lügâti't-Türk* en önemli karşılaştırma araçlarıdır. Özellikle *Dîvânu Lügâti't-Türk,* İslam dünyasına Türkçe öğretmek amacıyla yazılmış bir tür sözlük olduğu için, sözcüklerin anlamlandırılmasında yanılma payı pek azdır. Ancak sözcüklerin okunmasında, Arap harfleriyle Türkçe sözcüklerin yazılması ve okunmasındaki bildik sorunlarla karşı karşıya kalınmaktadır. Yine de yazıtlar döneminden sonra yazılmış Türkçe metinler, sözcüklerin anlaşılmasında ve tespitinde önemli derecede kolaylık sağlamakta, dolayısıyla eklerin tespitinde önemli işlev görmektedir.

Türkçenin yapım eklerinin dört ana bölümü; isimden isim, isimden fiil, fiilden isim ve fiilden fiil yapma eklerinin ilk biçimlerinin elde edilmesi, dolayısıyla ekin daha eski biçimi için yeniden kurma yani rekonstrüksiyon yapma imkânı da bulunmaktadır. Eski Türk yazıtları dönemindeki kimi yapım eklerinin sonraki dönemlerde ve özellikle çağdaş Türk yazı dillerinde bulunup bulunmadığı, biçim bilgisi araştırmaları için önemli sonuçlar elde edilmesine imkân sağlamaktadır. Kimi eklerin sonraki dönemlerde kullanımdan düşmesi, kimilerininse belli dönem eserleriyle çağdaş Türk yazı dillerinin bir bölümünde bulunması hem biçim bilgisi hem de diyalektoloji araştırmaları için önemli bulgular sunmakta, dolayısıyla çağdaş Türk yazı dillerinin birbirine yakınlığı veya uzaklığı konusunda da önemli ipuçları vermektedir.

Eski Türk yazıtları dönemi Türkçesinin çekim ekleri de biçim bilgisinin bir alt alanını oluşturmaktadır. İsim ve fiil çekim ekleri içerisinde yer alan bir ekin sonraki dönemlerde bulunup bulunmaması, ekin doğru okunmasına da imkân sağlamakta, bu nedenle karşılaştırma yapmak son derece önem kazanmaktadır. Örneğin isim çekim eklerinden çokluk ekleri Talat Tekin'in *Orhon Türkçesi Grameri* adlı çalışmasının "Topluluk ve Çokluk Ekleri" başlığında şöyle verilmiştir: *+lAr, +gUn, +An, +(X)t, +s*. Tekin, *+s* eki için tuhaf bir biçimde Köl Tegin yazıtının doğu yüzünün 4. satırındaki *inisi* örneğini verse de bu ekin Hint-Avrupa, Moğol veya Soğd kökenli çokluk eki olduğunu önerenler de olmuştur. Örneğin John C. Street, Moğolların efsanevi ve bilinen ilk yazılı kaynağı *Moğolların Gizli Tarihi*'nde de tespit edilen bu ekin, uzun ve normal ünlülere geldiğini belirtmiştir. Ekle ilgili çok sayıda örnek verse de kökeniyle ilgili herhangi bir şey söylememiştir. Tek başına bu örnek bile eski Türk yazıtları dönemi Türkçesinin, biçim bilgisi araştırmaları için çok daha fazla metne ihtiyacı olduğunu göstermeye yetmektedir.

Eski Türk Yazıtları Döneminin Leksik ve Diyalektik Özellikleri

Türk runik harfli eski Türk yazıtları döneminde kapsamlı bir söz varlığından söz edilebilir. Askerlikle ilgili söz varlığının yanında, gündelik hayata dair izler de söz varlığının önemli bir parçasını oluşturmaktadır. Eski Türk yazıtlarıyla ilgili en önemli sorunlardan biri, yazıtların neredeyse tamamına yakınında tarih kaydının bulunmamasıdır. Örneğin Yenisey bölgesi yazıtlarının hiçbirinde herhangi bir tarih kaydı yoktur. Yazıtlarda tarih kaydı bulunmamasının yanında, bir başka sorun da yazıtın hangi Türk dilli boy tarafından yazıldığının ve dikildiğinin bilinmemesidir.

Köl Tegin, Bilge Kağan, Tes, Tariat, Şine Usu ve I. Karabalgasun yazıtları kağanlık yazıtları olduğu için kimlerce yazdırıldığı ve diktirildiği bilinmektedir. Ancak öteki yazıtların önemli bir bölümünün hangi boy mensupları tarafından yazıldığı konusu, tartışmaları da beraberinde getirmektedir. Bu yazıtlardaki boy damgalarından hareket ederek sonuca ulaşmaya çalışan araştırmacıların karşılaştığı en büyük sorun damganın, yazıtı yazan veya diken kişinin boyuna mı yoksa yönetici boya mı ait olduğudur. Aynı damgayı taşıyan yazıtlar, aynı boy mensuplarınca yazılabileceği gibi, yönetimde bulunan boyun damgasını göstermesi de mümkündür. Şine Usu yazıtının kuzey yüzünde yer alan damganın aynısının Xi'an'de bulunan Çince-Eski Türkçe Karı Çor Tegin yazıtında da yer alması dolayısıyla, damgalar konusunda belki de en emin olunanı Uygurlara ait olandır.

Hangi yazıtın hangi boyca yazıldığı konusundaki kuşkular ortadan kalkmadıkça boyların eski Türkçe dönemindeki söz varlığı ve dil bilgisi yapıları hakkında sağlıklı bilgi elde etmek mümkün olmayacaktır. Ancak kimi yazıtları yazan boyun kimliği bilinmekte ve bu yazıtta yer alan tek örnek sözcükler de o boyun söz varlığı ve diyalektolojisi için önemli sonuçlar ortaya çıkarmaya yardım etmektedir. Örneğin Uygurlardan kaldığı yönünde genel kanaat bulunan ve dolayısıyla yazıtlar dönemi Uygur diyalektolojisi için önemli kanıtlar sunan Tes, Tariat, Şine Usu, I. Karabalgasun, Hoyto-Tamır ve Karı Çor Tegin yazıtlarında bulunup öteki Türk runik harfli yazıtlarda bulunmayan ve özellikle Güney-Doğu lehçe grubunda yani Çağdaş Uygur, Sarı Uygur ve Özbek Türkçelerinde yer alan kimi sözcükler, konunun ortaya konmasında epeyce yardım etmektedir. Yalnızca Uygur yazıtlarında tespit edilen ve dolayısıyla Uygur diyalektolojisi için değerlendirilmesi mümkün birkaç sözcük şöyledir:

Adın 'başka': Tes doğu 2

Ançıp 'sonra': Tes kuzey 2, doğu 3; Şine Usu doğu 7, 8, batı 1, 4, 5.

Belgü 'damga': Tes güney 3; Tariat batı 2; Şine Usu doğu 8, 9.

Çıt 'çit, karargâhı çevreleyen sınır taşları veya tahta kazıklar': Tes güney 2, batı 1, 2; Şine Usu doğu 8, 9, güney 2.

Ėgil '(sıradan) halk': Şine Usu doğu 2.

Ilag 'vadi, otlak': Tariat batı 4, 5.

Küt- 'beklemek': Şine Usu doğu 5.

Örgi- 'otağ, taht kurmak': Şine Usu güney 10.

Örgin 'Kağanlık yönetim merkezi': Tes güney 2; Tariat güney 6, batı 1, 2; Şine Usu doğu 8, 9, güney 10, batı 6; I. Karabalgasun II/8.

Sın 'mezar, kabir': Karı Çor 12.

Toŋtar- 'yıkmak, devirmek': Tariat doğu 8.

Utru 'karşı, karşı taraf': Şine Usu güney 3; Hoyto-Tamır XI/4.

Yaŋı 'ayın ilk günleri; kişi adı': Arhanan 1; Şine Usu kuzey 9, doğu 1, 3, 5, 6, 11, batı 1, 2, 4; Hoyto-Tamır VI/4, Hoyto-Tamır XV/2; Karı Çor 17.

Eski Türk yazıtlarındaki bazı erken ünsüz gelişmeleri de diyalektik öğelerden olduğu için göz önüne alınabilir. Örneğin Hangiday yazıtında tespit edilen 'bezeme, süs' anlamındaki *beziz* sözcüğündeki *z*'li biçim, eğer yazıtın yazıcısı bir yazım hatası yapmadıysa, iç sesteki *z*'nin sızıcılaşmaya başladığını gösteren bir örnek olarak değerlendirilebilir. Çünkü sözcüğün bu dönemdeki biçimi *bediz*-dir. Bu önemli veri sayesinde, Clauson'un (*ḏ*) ve Berta'nın (δ) biçimindeki yazı çevrimi, ses bilgisi açısından önem kazanmaktadır.

Bir başka önemli konu da sözcük başındaki art veya ön ünlülü *k*- seslerinin *g*- sesiyle yazılmasına dair örneklerin varlığıdır. Bu konu, yazıtlar döneminin hem ses bilgisi hem de diyalektolojisi açısından kuşkusuz önemlidir. Örneğin *kadaş* "akraba" sözcüğü Malinovka (E 56) yazıtının 1. satırında *gadaş* olarak yazılmıştır ve *kadaş* sözcüğü Yenisey yazıtlarının büyük bir bölümünde bulunduğu hâlde, öteki bölge yazıtlarında tespit edilmemiştir. Bu da erken bir ünsüz gelişmesi olarak değerlendirilebileceği gibi, Malinovka yazıtını yazan kişinin diyalekti hakkında da yorum yapma imkânı vermektedir. Sözcüğün geçtiği satır şöyledir: <...> *gadaş esizim b[ökmedim]* "<...> Akrabalarım(a), ne yazık (ki), doymadım."

Eski Türk yazıtlarında ele geçmese de sonraki dönem Türkçe metinlerden bilinen, "alnı akıtmalı (at)" anlamındaki *kaşga* sözcüğü, Hemçik-Çırgakı (E 41) yazıtında bir kez *gaşga* olarak *g* sesiyle yazılmıştır. Sözcüğün geçtiği satır şöyledir: *Gaşga tañım* "(Ey benim) alınları akıtmalı taylarım!" Yine aynı yazıtın 6. satırında Kemçik Irmağı'nın adı *gemçik* biçiminde yazılmıştır. Irmağın adının *k* sesli biçimi tespit edilmediği için karşılaştırma imkânı bulunmamakla birlikte, ırmak adının Tuva Türkçesinde *Hemçik* biçiminde söylenişi ve *kem* adının Yenisey Irmağı'nın eski adı olması, bu adın *kem* adından küçültme eki *+çIk* ile kurulduğuna işaret olarak değerlendirilebilir. Dolayısıyla sözcük başındaki *g* sesi, genel bir *k->g*- ötümlüleşmesi örneği olabileceği gibi diyalektik bir özellik olarak da değerlendirilebilir.

Hemçik-Çırgakı (E 41) yazıtının 7. satırındaki *gėyik* biçimi de söz başındaki *g* sesiyle ilgili önemli bir örnektir. Sözcüğün asli yazımı *kėyik*, bir kez Tonyukuk yazıtında, iki kez de Yenisey yazıtlarında olmak üzere toplam üç kez tespit edilmiştir. Sözcük başındaki *g* sesli *gėyik* biçimiyse yalnızca Hemçik-Çırgakı (E 41) yazıtının 7. satırında tespit edilmiştir. Anlamının "yaban hayvanı" mı yoksa "geyik" mi olduğu da tartışılan sözcüğün, anılan yazıtta *g* sesiyle gösterilmesini, hem eski Türk yazıtları döneminin ses bilgisi hem de söz varlığı bakımdan önemli bir örnek olarak değerlendirmek gerekir.

Bir başka farklı yazım da sözcük içindeki *-t->-ç-* gelişmesidir. Eski Türk yazıtları döneminde sıkça kullanılan, "yazıt" anlamındaki *bitig* sözcüğü, Tuba III (E 37) yazıtının 3. ve Kök Haya yazıtının 1. satırında *biçig* olarak tespit edilmiştir. İki Yenisey yazıtında ele geçen *ç*'li iki örnek, her iki yazıtın yazıcısının dilinde *-t->-ç-* gelişmesinin örneği olarak düşünülebileceği gibi yazıcının diyalekti ile de ilgili olması pekâlâ mümkündür.

Buna göre Türk runik harfli eski Türk yazıtlarındaki farklı yazımların, erken ünsüz gelişmeleri olarak değerlendirilebilmesinin yanında, yazıt sahibinin veya yazıcısının diyalekt özellikleri için de fikir yürütme imkânı tanımaktadır. Bu bakımdan çok satırlı kağanlık ve beylik yazıtlarının dışındaki, az satırlı yazıtlarda adı geçen boy adlarıyla yazıtın yazıcısı kaynaklı bazı farklı yazımların hem ses bilgisi hem de diyalektoloji bakımından değerlendirmek kuşkusuz önemlidir. Bu nedenle hangi Türk dilli boydan kaldığı bilinmeyen Yenisey ve Dağlık Altay yazıtlarında tespit edilen boy adları geçen yazıtların, o boyun diyalekt özellikleri için en önemli kaynak olduğu da gözden uzak tutulmamalıdır.

Aşağıdaki listede, özellikle yazıt sahibinin boyunun belirtildiği yazıtlardan elde edilen boy adlarıyla o yazıt ilişkilendirilmiştir:

Az → El-Bajı (E 68)
Basmıl → Bömbögör
Karluk → Bömbögör
Kırkız → Suci, Haya-Baji (E 24)
Kümül → Kızıl-Çıraa II (E 44), Köjeelig-Hovu (E 45)
On Ok → Kırgızistan Yazıtları
Oğuz → Hangiday
Tarduş → Küli Çor

Tokuz Tatar/Tatar → Herbis-Baarı (E 59)

Tölis → Hoyto-Tamır V, 2; Abakan (E 48); Tuva G (E 55); Yeerbek I (E 147)

Türgeş → Tuba III (E 37), Kırgızistan Yazıtları

Uygur → Tes, Tariat, Şine Usu, I. Karabalgasun, Hoyto-Tamır, Sevrey, Karı Çor Tegin (Xi'an)

DÖRDÜNCÜ BÖLÜM

YAZITLARDAN ÖRNEKLER

Aşağıda eski Türk yazıtlarından metin örnekleri bulunmaktadır. Moğolistan'da bulunan büyük kağanlık ve beylik yazıtlarının metinleri uzun olduğu için birkaç satır verilecektir. Fakat Yenisey, Dağlık Altay, Kırgızistan ve Çin Halk Cumhuriyeti yazıtlarındaysa her yazıttan bir iki satırla örneklemek yerine birkaç yazıtın tüm satırları verilecek, böylece yazıtın tümü hakkında fikir elde edilebilecektir. Türk runik harfleriyle yazımı, yazı çevrimi ve bugünkü Türkçeye aktarımı da bir arada verilmiştir. Yazıtla ilgili örneklere geçmeden önce yazıtın kim adına yazdırılıp diktirildiği, taşın fiziksel özellikleriyle içerdiği konular da kısaca belirtilecektir.

Moğolistan'daki Yazıtlardan Örnekler

Köl Tegin Yazıtı

Köl Tegin, II. Köktürk Kağanlığı'nın dördüncü kağanı Bilge Kağan'ın kardeşidir. Bilge Kağan ve Köl Tegin, 692 yılında ölen İlteriş Kağan'ın oğullarıdır. Her iki kardeşin doğum tarihleri, adına dikilen yazıtlardan anlaşılabilmektedir: Bilge Kağan yazıtı doğu yüzü 13-14. satır: *Kaŋım]* (14) *kagan uçdokda özüm sekiz yaşda kaltım* "babam] (14) kağan sonsuzluğa uçtuğunda kendim sekiz yaşındaydım." Köl Tegin yazıtı doğu yüzü 30. satır: *Kaŋım kagan uçdokda inim köl tėgin yėt[i yaşda kaltı]* "Babam kağan sonsuzluğa uçtuğunda kardeşim Köl Tegin yedi yaşında idi." Bu iki cümleden, İlteriş Kağan öldüğünde Bilge'nin sekiz, Köl Tegin'inse yedi yaşında olduğu anlaşılır. Buna göre Bilge Kağan 684, Köl Tegin ise 685 yılında doğmuş olmalıdır.

Köl Tegin adı unvan olup unvanın ilk bölümü *köl* sözcüğü, bilindiği üzere *Köl* ve *Kül* olarak iki türlü okunmaktadır. Yukarıda, ses bilgisiyle ilgili bölümde de ifade edildiği üzere, Türk runik alfabesinin *ö* ile *ü* ünlülerini ayırt etmemesi nedeniyle, unvandaki ünlünün *ö* mü *ü* mü olduğunu anlamak mümkün değildir. İlk naşirlerin yayınlarında *Kül* okunduğu bilinmekteyse de sonraları *Köl* okuma önerileri artmıştır. *Köl* biçiminde okuyanların temelde iki anlamdan hareket ettiği söylenebilir.

1. Kimi araştırmacılar *köl* okur ve 'göl' anlamından hareket eder ve kanıt olarak *Dîvânu Lügâti't-Türk*'teki *köl irkin* kişi adı ve bunun Kâşgarlı Mahmud tarafından verilen "aklı göl gibi toplanmış, dolmuş" anlamı gösterilir.

2. *Köl* okuyup "ateş, ateşin kor hâli" anlamını öne sürenler. Bu görüşe sahip olanlarsa, ateş kültünden hareket ederek Moğolca *otçigin* "ateş prensi" sözcüğüyle ilişkilendirmek ister.

Köl Tegin adıyla Moğolca *otçigin* adının bir ve aynı anlamı taşıdığı göz önüne alındığında *köl* sözcüğünün "yanmak" anlamındaki *köñ-* (~*köny-*) fiilinin, fiil tabanı *kö-* fiilinden yapılması gerekmektedir. Başka bir deyişle, "Yanan şeylerden artakalan toz madde" anlamındaki *kül* sözcüğüyle aynı sözcük olmaktadır. Ancak sözcük, "ateşin kor kısmı" veya benzeri bir anlama sahipken "yanan şeylerden artakalan toz madde" anlamını kazanmıştır.

Türklerde ve Moğollarda bulunan, bugün bile hâlâ yaygın olarak yaşatılan bu eski bozkır geleneğine göre, ocağın sönmemesi için evin en küçük erkek çocuğu evlendikten sonra aile büyükleriyle birlikte oturur, onların vefatından sonra da o evde yaşamaya devam ederdi. Bu bilgilerden hareket edildiğinde, Köl Tegin'in evin en küçük erkek çocuğu olduğu ortaya çıkmaktadır. Köl Tegin'in Çin kaynaklarındaki adı *Que teqin* (闕特勤) olarak verilmiştir.

Köl Tegin yazıtının kuzey yüzünün tamamı Köl Tegin'in kahramanlıklarına ayrılmış gibidir. Ayrıca hangi nedenden dolayı savaşta mı, hastalanarak mı yoksa suikast sonucunda mı öldüğüne dair bilgi bulunmamaktadır. Cenaze törenine gelenlerden, önce doğudaki boy ve halklar, ardından güney ve batı bölgelerinden gelen temsilciler sayılmıştır. Buna göre batıda Soğd ve Berçik halkı, Buhara halkı, On Okların ve onların temsilcilerinin geldiği ifade edilmiştir. Cenaze törenine Kırgızları temsilen gelen kişiyse Tarduşlara mensuptur.

Köl Tegin yazıtı, kireç taşından yapılmış dört yüzlü tek parça büyük bir taştır. Taşın yüksekliği 3.75 m'dir. Taşın doğu ve batı yüzleri aşağıda 1.32 m, üstte 1.22 m'dir. Kuzey ve güney yüzlerinin eniyse 46 ile 44 cm kadardır. Yazıtın batı yüzü Çince, geri kalan üç yüzüyse Türk runik alfabesiyle yazılmış Türkçe metinlerle kaplıdır. Doğu yüzünde 40, kuzey ve güney yüzlerindeyse 13'er satır bulunmaktadır. Yazıtın kuzey ve doğu, güney ve doğu yüzleriyle güney ve batı yüzleri arasındaki kenar bölümde birer satır yer almaktadır. Çince yazılan batı yüzünde de küçük bir Türkçe metin bulunmaktadır. Yazıtın üzerine oturtulduğu kaplumbağa kaidesindeyse sekiz satırlık ancak yedi sekiz sözcüğü okunabilen Türkçe bir metin yer almaktadır.

Köl Tegin, koyun yılının 17. günü yani 27 Şubat 731'de ölmüştür. Yazıtın batı yüzündeki Çince bölüme göre 1 Ağustos 732 tarihinde dikilmiştir. Ancak yazıtın Türkçe bölümlerinden elde edilen tarih 21 Ağustos 732'yi göstermektedir. İki tarih arasındaki 20 günlük farkın nedeni, yazıtın ilk önce Çince bölümünün yazılması, Türkçe bölümünün yazılmasınınsa yirmi gün sürmesidir. Bu konu yazıtın güney-doğu yüzünde yer alan satırda açıkça ifade edilmiştir: *Yėgirmi kün olorup bo taşka bo tamka kop yol<l>ug tėgin bitidim* "Yirmi gün oturup bu taşa, bu duvara tamamen (ben) Yollug Tegin yazdım." Bu cümle zaten, Türkçe bölümlerin yazılmasının yirmi gün sürdüğünü ifade etmektedir.

Köl Tegin 27 Şubat 731 tarihinde ölmüş, yoğ töreni 1 Kasım 731'de yapılmış ve yazıtı da 21 Ağustos 732 yılında ağabeyi Bilge Kağan tarafından düzenlenmiş ve diktirilmiştir. Köl Tegin yazıtındaki cümlelerin Bilge Kağan'a ait olduğu belli olmakla birlikte, yazıtın işlenmesi, taş üzerine kazınması işinin Yollug Tegin'e ait olduğu yazıtta ifade edilmiştir. Köl Tegin yazıtı güney-doğu yüzü: *Bunça bitig bitigme köl tėgin atısı yol<l>ug tėgin bitidim* "bunca yazıyı yazan Köl Tegin'in yeğeni Yollug Tegin (ben) yazdım."

Köl Tegin yazıtına sonradan iki ekleme yapılmıştır. Bunlardan birincisi batı yüzüne, Çin'deki Mançu Hanedanı'nın Ulan Batur elçisi Huo-san-to-pen (Sanduo) tarafından yapılmıştır. İkinci eklemeyse doğu yüzünün tepeliğinde bulunan dağ keçisi damgasının burun bölümündedir.

Köl Tegin yazıtı, Koşo-Çaydam Gölü yakınlarında Türkiye Cumhuriyeti tarafından yaptırılan müzeye taşınmış ve koruma altına alınmıştır. Bilge Kağan ile Köl Tegin'in yazılı taşlarının arası beş yüz metre kadarken artık yeni yerlerinde bir metre aralıkla, yan yana durmaktadır.

Güney yüzü 1

Teŋriteg teŋride bolmış türük bilge kagan bo ödke olortum sawımın tüketi ėşidgil ulayu iniygünüm oglanım birki uguşum bodunum bėrye şadapıt begler yırya tarkat buyruk begler otuz [tatar] <...>

(Ben) Tengriteg Tengride Bolmış Türk Bilge Kağan('ım). Bu zamanda tahta oturdum. Sözlerimi sonuna kadar işit. Evvela küçük kardeşlerim, çocuklarım, birleşik soyum, halkım. Güneydeki şadlar (ve) beyler, kuzeydeki tarkanlar, komutanlar (ve) beyler. Otuz Tatarlar <...>

Güney yüzü 2

Tokuz oguz begleri bodunı bo sawımın edgüti ėşid katıgdı tıŋla ilgerü kün tugsıka bėrgerü kün ortosıŋaru kurıgaru kün batsıkıŋa yırgaru tün ortosıŋaru anta içreki bodun ko[p] m[aŋ]la kör[ür] n bunça bo[dun] <...>

Dokuz Oğuz beyleri, halkı bu sözlerimi iyice işit (ve) sıkıca dinleyin. Doğuda gün doğusuna, güneyde gün ortasına, batıda gün batısına, kuzeyde gece ortasına kadar, oradaki tâbi halklar bana bağlıdır. Bu kadar halk <...>

Güney yüzü 3

Kop ėtdim ol amtı añıg yok türük kagan ötüken yış olorsar ėlte buŋ yok ilgerü şantuŋ yazıka tegi süledim taloyka kiçig tegmedim bėrgerü tokuz ersinke tegi süledim töpötke kiçig tegmedim kurıgaru yėnçü ügüz

hepsini düzene soktum. Onlar şimdi kötü (durumda) değiller. Türk kağanı Ötüken (Ormanlı) Dağları'nda oturursa ülkede sıkıntı olmaz. Doğuda Şandong Ovası'na kadar sefer ettim. (Büyük) Okyanus'a ulaşmama az kaldı. Güneyde Dokuz Ersin'e kadar sefer ettim, Tibet'e ulaşmama az kaldı. Batıda İnci Irmağı'nı (Sirderya)

Güney yüzü 4

Keçe temir kapıgka tegi süledim yırgaru yėr bayırku yėriŋe tegi süledim bunça yėrke tegi yorıtdım ötüken yışda yėg idi yok ermiş ėl tutsık yėr ötüken yış ermiş bo yėrde olorup tawgaç bodun birle

Geçip Demir Kapı'ya kadar sefer ettim. Kuzeyde Yer Bayırku topraklarına kadar sefer ettim. Bunca yere kadar asker sevk ettim. Ötüken (Ormanlı) Dağları'ndan daha iyisi asla yok imiş. Yurt tutacak yer Ötüken (Ormanlı) Dağları imiş. Bu yerde oturarak Çin halkı ile

Güney yüzü 5

Tüzültüm altun kümüş işgiti kotay buŋsuz ança bėrür tawgaç bodun sawı süçig agısı yımşak ermiş süçig sawın yımşak

agın arıp ırak bodunug ança yagutır ermiş yagru kontokda kèsre añıg bilig anta öyür ermiş

(ilişkileri) düzelttim. (Çinliler) altın, gümüş, ipek (ve) ipekli kumaşları sıkıntısızca verirler. Çin halkının sözü tatlı, ipeği yumuşak imiş. Tatlı sözle, yumuşak ipeklerle kandırıp uzaktaki halkları öylece (kendine) yaklaştırırmış. Yakına yerleştikten sonra kötülükleri orada düşünürlermiş.

Doğu yüzü 17

ЄΥΓ:ꟷΥΥΓ𐰾:)𐰑𐰖𐰀:𐰸𐰆𐰞:𐰴𐰺𐰏:ꟷ𐰞𐰀:𐰲𐰆𐰀:Υ>𐰽:𐰴𐰀:ꟷ𐰉𐰢𐰉:)𐰑𐰖𐰀𐰞
𐰴𐰆XΥ𐰢:𐰚𐰀𐰞:ꟷ𐰑𐰖𐰀𐰞:>𐰽𐰀:𐰴𐰆XΥ𐰢:𐰚𐰀𐰞:𐰤>𐰲Υ:𐰴𐰀𐰢ꟷΥ𐰓:𐰢Υ
<...>𐰚𐰀:ꟷΥ:𐰴𐰆Є𐰀:

Ėçim kagan olortokda özüm tarduş bodun üze şad ertim ėçim kagan birle ilgerü yaşıl ügüz şantuŋ yazıka tegi süledimiz kurıgaru temir kapıgka tegi süledimiz kögmen aşa kı[rkız yėriŋe tegi süledimiz]

Amcam kağan tahta oturduğunda kendim Tarduş halkının başında şaddım. Amcam kağan ile doğuda Sarı Irmak'a (ve) Şandong Ovası'na kadar sefer ettik. Batıda Demir Kapı'ya kadar sefer ettik. Kögmen'i aşarak Kırgız yurduna kadar sefer ettik.

Doğu yüzü 18

ꟷ)𐰑𐰖:𐰴𐰆X𐰀ΥΙΥΓ:ЄЄΥΥΓ:𐰴𐰆XΥ𐰢:𐰚𐰆ΥЄ𐰀𐰞:𐰴𐰆XΥ𐰢:𐰴𐰆>ΥΓ𐰾:𐰚𐰑𐰖𐰆
)𐰑𐰖:ΙЄΥ𐰢𐰀:𐰴𐰆𐰀Υ𐰲𐰢𐰀:𐰑𐰖ꟷΥ𐰽:𐰴𐰆𐰀Υ𐰢:ЄЄΥ𐰴𐰢𐰀:𐰴𐰆𐰽𐰀)𐰑𐰖:𐰑𐰖
<...>𐰴𐰆𐰀Υ𐰢𐰀:

Kamagı bėş otuz süledimiz üç yėgirmi süŋüşdümüz ėlligig ėlsiretdimiz kaganlıgıg kagansıratdımız tizligig sökürtümüz başlıgıg yüküntürtümüz türgėş kagan türükümüz [bodunumuz erti bilmedökin]

toplamı yirmi beş (kez) sefer ettik. On üç (kez) savaştık. Yurdu olanı yurtsuz bıraktık, kağanı olanı kağansız bıraktık. Asilere diz çöktürdük, mağrurlara baş eğdirdik. Türgeş kağanı (bize) tâbi [halkımız idi. Bilmediği]

Doğu yüzü 19

[illegible]
[illegible]
<...> [illegible]

Üçün biziŋe yaŋıl<t>okın üçün kaganı ölti buyrukı begleri yeme ölti on ok bodun emgek körti eçümüz apamız tutmış yėr suw idisiz bolmazun tėyin az bodunug ėtip yar[atıp] <...>

için bize (karşı) yanıldığı için kağanı öldü. Komutanları, beyleri de öldü. On Ok halkı (bu yüzden) sıkıntı çekti. Atalarımızın, dedelerimizin elde ettiği topraklar sahipsiz olmasın diye Az halkını düzene sokup örgütleyerek <...>

Kuzey-Doğu yüzü

[illegible]
[illegible]
[illegible] <...> [illegible] <...> [illegible] <...> [illegible] <...> [illegible]
<...> [illegible]

Köl tėgin koñ yılka yėti yėgirm<i>ke uçdı tokuzunç ay yėti otuzka yog ertürtümüz barkın bedizin bitig taşın bėçin yılka yėtinç ay yėti otuzka kop alkdımız köl tėgin ö[zi] kırk artuk[ı y]ėti yaşıŋ[a] boltı taş bark [ėtgüçig] bunça bedizçig toygun ėltewer kel[ürti]

Köl Tegin koyun yılının on yedisinde (sonsuzluğa) uçtu. Dokuzuncu ayın yirmi yedisinde cenaze törenini yaptırdık. Anıt mezarını, süslemelerini, yazıt taşını, maymun yılının yedinci ayının yirmi yedisinde tamamen bitirdik. Köl Tegin'in kendisi kırk yedi yaşında idi. Taş anıt mezarı yapan bunca süsleme ustasını Toygun Eltever getirdi.

Bilge Kağan Yazıtı

II. Köktürk Kağanlığı'nın dördüncü kağanı Bilge Kağan, babası İlteriş Kağan 692 yılında öldüğünde henüz sekiz yaşındaydı. Devleti yönetecek yaşta olmadığı için töre gereği amcası Kapgan Kağan tahta çıkmıştı. Amcası Kapgan Kağan'ın tahta çıkması, zaten Bilge Kağan'ın kardeşi anısına yazdırıp diktirdiği Köl Tegin yazıtında açıkça ifade edilmiştir. Köl Tegin yazıtı doğu yüzü 16. satır: *Ol töröde üze ėçim kagan olortı* "Yasalar gereğince amcam kağan tahta oturdu."

Kapgan Kağan tahttayken Bilge Kağan'ın on dört yaşında Tarduşlara şad uvanıyla yönetici olarak atandığı, kendi yazıtındaki şu cümleden anlaşılmaktadır: Bilge Kağan yazıtı doğu yüzü 15. satır: *Tört yėgirmi yaşımka tarduş bodun üze şad olortum* "on dört yaşımda Tarduş halkına şad (olarak) atandım." Buna göre Bilge Kağan 698 yılından itibaren şadlık görevini yürütmekteydi.

Kapgan Kağan'ın 716 yılında öldürülmesiyle yerine oğlu İnel Kağan'ın tahta geçmesi Köl Tegin'i öfkelendirmiş, İnel Kağan ve maiyetindekileri kılıçtan geçirip ağabeyi Bilge'yi kağanlık tahtına oturtmuştu. Çin kaynaklarının verdiği bilgiye göre Tonyukuk da İnel Kağan'ın tarafını tutmuştur. Ancak Tonyukuk'un Köl Tegin'in öfkesinden kurtulmasının nedeni, Bilge Kağan'ın kayınpederi olmasıdır. Canı bağışlanan Tonyukuk yönetimden el çektirilmiş ve kendi boyuna geri gönderilmiştir. Türk devlet geleneğine uygun olarak her üç yazıtta da bu çekişmelere değinilmemiş, Bilge Kağan ile Tonyukuk, iğneleyici sözcük ve cümlelerle birbirlerine göndermede bulunmuştur.

716 yılında kardeşi Köl Tegin'in dirayetiyle tahta geçen Bilge Kağan, Çinlilerin aktardığı bilgiye göre 734 yılında maiyetinde bulunan Meilu Çor (梅錄啜) adlı bir kimse tarafından zehirlenerek öldürülmüştür. Bu olay, it yılının 10. ayının 26. günü gerçekleşmiştir ve tarih, 25 Kasım 734'e denk gelmektedir. Buna göre 684 yılında doğan Bilge Kağan, 734'te elli yaşındayken ölmüştür.

Küçük oğlu Tengri Kağan tarafından yazdırılan Bilge Kağan yazıtı, Köl Tegin yazıtından birkaç cm daha yüksek olup doğu yüzünde 41, kuzey ve güney yüzlerinde 15'er satır bulunmaktadır. Hem Türkçe yüzleri hem de Çince yüzü, aşınmalar dolayısıyla Köl Tegin yazıtından daha kötü durumdadır. Üç parça olarak kırık vaziyetteki yazıt, 2001 yılında Koşo-Çaydam Gölü yakınlarında kurulu depo-müzeye taşınmıştır. Depo-müzeye daha sonra çağdaş bir müze görünümü kazandırılarak Koşo-Çaydam Müzesi adı verilmiştir. Hâlen Köl Tegin yazıtıyla birlikte aynı müzede korunmaktadır.

Yazıtın Çince bölümünün 19 Ağustos 735 tarihinde tamamlandığı ve Türkçe bölümlerininse 34 günde yazıldığı bilgisinden hareket edildiğinde yazıt muhtemelen 20 Eylül 735 tarihinde dikilmiştir. Bilge Kağan yazıtının metinlerini yazdıran Tengri Kağan, amcası Köl Tegin'in, babası tarafından yazdırılan yazıtının metinlerinden büyük ölçüde yararlanmıştır. Çünkü her iki yazıtın çok sayıda cümlesi aynı veya birbirine çok benzemektedir. Dolayısıyla yazıttaki eksik cümleler, Köl Tegin yazıtı yardımıyla tamamlanabilmektedir.

Doğu yüzü 1

[illegible]

[illegible]

Teŋriteg teŋri yaratmış türük bilge kagan sawım kaŋım türük bilg[e kagan] <...> [al]tı sir tokuz oguz ėki ediz kerekülüg begleri bodunı <...>[tü]rük te[ŋ]ri <...>

(Ben) Tengriteg Tengri Yaratmış Türük Bilge Kagan('ım). Sözüm: Babam Türk Bilge Kagan <...> Altı Sirler, Dokuz Oğuzlar, İki Edizler, Kerekülüg Beyleri (ve) halkı <...> Türk (ebedî) göğü <...>

Doğu yüzü 2

[illegible]

[illegible]

[illegible]

Üze kagan olortum olortokuma ölteçiçe sakınıgma türük begler bod[un ö]girip sewinip toŋıtmış közi yügerü körti bödke özüm olorup bunça agır törög tört buluŋdakı yarat<d>ım bitidim üze kök teŋri as[ra yagız yėr kılıntokda ėkin ara kişi oglı kılınmış]

üzerine kağan olarak tahta oturdum. Tahta oturduğumda ölecekmiş (yok olacakmış) gibi düşünen Türk beyleri (ve) halkı kıvanıp sevinip yere bakan gözlerini yukarı kaldırdı. Bu zamanda kendim tahta oturup bunca önemli yasayı, dört taraftaki (halkı) düzene soktum, (bunları) yazdım. Yukarıda mavi gök, [aşağıda yağız yer yaratıldığında ikisinin arasında insanoğlu yaratılmış].

Doğu yüzü 3

Kişi oglınta üze eçüm apam bumın kagan istemi kagan olormış olorupan türük bodunıŋ ėlin törösin tuta bėrmiş ėti bėrmiş tört buluŋ kop yagı ermiş sü sülepen tört buluŋdakı bodunug baz kıl[mış] başlıgıg yüküntürmiş tizlig[ig sökürmiş ilgerü kadırkan yışka tegi kėrü]

insanoğlunun üzerinde atalarım, dedelerim Bumın Kağan (ve) İstemi Kağan tahta oturmuş. Tahta oturup Türk halkının ülkesini (ve) yasalarını tutuvermiş, düzenleyivermiş. Dört taraf hep düşmanmış. Ordu sevk ederek dört taraftaki halkları tâbi etmiş. Mağrurlara baş eğdirmiş, asilere diz çöktürmüş. Doğuda Kadırkan (ormanlı) Dağları'na kadar, batıda

Doğu yüzü 9

Kaganlıg bodun ertim kaganım kanı ne kaganka işig küçüg bėrür men tėr ermiş ança tėp tawgaç kaganka yagı bolmış yagı bolup ėtinü yaratınu umadok yana içikmiş bunça işig küçüg bėrtök<g>erü sakınmatı türük bodunug ölür[eyin urugsıra]tayın [tėr ermiş üze]

"Kağanı olan halktım, kağanım hani? Hangi kağana hizmet ediyorum?" dermiş. Böyle deyip Çin kağanına düşman olmuş. Düşman olup (kendisini) örgütlemeyi başaramadığı için yine tâbi olmuş. Bunca hizmet ettiğini düşünmeden "Türk halkını öldüreyim, soyunu yok edeyim" dermiş. Yukarıda

Doğu yüzü 32

[illegible]

[illegible]

[illegible]

[illegible]

Oguz tapa süledim ilki sü taşıkmış erti ėkin sü ewde erti üç oguz süsi basa kelti yadag yawız boltı tėp algalı kelti sıŋar süsi ewig barkıg yulıgalı bardı sıŋar süsi süŋüşgeli kelti biz az ertimiz yawız ertimiz oguz <...>t yag[ı] <...> [teŋri] küç bėrtök üçün anta sançdım

Oğuzlara doğru sefer ettim. Ordunun ilki sefere çıkmıştı. İkinci ordu karargâhta idi. Üç Oğuz ordusu baskın yaptı. "Yaya olanlar kötü durumdalar" diyerek ele geçirmeye geldiler. Ordunun yarısı evi barkı yağmalamaya, (diğer) yarısı da savaşmaya gelmişti. Biz az idik, kötü (durumda) idik. Oğuzlar <...> düşman <...> (ebedî) gök güç verdiği için orada mızrakladım.

Güney yüzü 9

[illegible]

[illegible]

[illegible]

Ölürti ulug oglum agrıp yok bolça kug seŋünüg balbal tike bėrtim men tokuz yėgirmi yıl şad olortum toku[z yėgir]mi yıl kagan olortum ėl tutdum otuz artukı bir [yaşıma] <...>

öldürdü. Büyük oğlum hastalanıp ölünce General Ku'yu balbal (olarak) dikiverdim. Ben on dokuz yıl şad olarak görev yaptım. On dokuz yıl kağan olarak tahtta kaldım. Devleti yönettim. Otuz bir yaşımda <...>

Tonyukuk Yazıtı

II. Köktürk Kağanlığı'nın kuruluşu ve gelişmesinde önemli görevler üstlenen bu önemli devlet adamı hakkında bilinenler ne yazık ki çok azdır. Tonyukuk'un kim olduğunu anlayabilmek için öncelikle kendi yazıtında anlattıkları, Türk runik harfli eski Türk yazıtlarındaki bilgilerle Türkçenin sonraki döneminde yazılmış metinlerin yanında, Tang Hanedanı dönemi Çin kaynaklarından da bilgiler elde edilebilmektedir. Ancak yaşam öyküsü hakkında kendi yazdıklarından bir şey çıkarmak mümkün değildir. Çünkü kim olduğu, hangi boya bağlı olduğu, çocukları gibi konulardan ne yazık ki söz etmemiştir.

Tonyukuk'un kim olduğu konusunun karışık olmasının altında, Çin kaynaklarında adı geçen Ashide Yuanzhen (阿史德元珍) adlı bir kişiyle birleştirme çabası yatmaktadır. Çin kaynaklarının en ünlülerinden Jiu Tangshu'da adı geçen Ashide Yuanzhen'ın Tonyukuk olup olmadığı konusu çok tartışılmış ve tartışılmaya devam etmektedir. Çinlilerin verdiği bilgiye göre, Ashide Yuanzhen II. Köktürk Kağanlığı'nın kuruluş yılları döneminde başkomutandır ve Türgeşlerle yapılan bir savaşta ölmüştür.

Friedrich Hirth, 1899 yılında yayımladığı ve Radloff'un Tonyukuk neşrinin arka bölümünde bulunan "Nachworte zur Inschrift des Tonjukuk, Beiträge zur Geschichte der Ost-Türken im 7. und 8. jahrhundert nach Chinesischen Quellen" başlıklı ünlü çalışmasında, Çinlilerin verdiği bu ölüm haberinin uydurma olduğunu ve dolayısıyla Tonyukuk ile Ashide Yuanzhen'ın aynı kişi olması gerektiğini öne sürmüştü. Ancak bazı Çin dili ve tarihi uzmanlarıyla Köktürk dönemi araştırmacılarına göre, Ashide Yuanzhen ile Tonyukuk ayrı ayrı kişilerdir. Dolayısıyla bu konu o günlerden bugüne kadar sürekli tartışılsa da bu tartışmada asıl taraf olan Tonyukuk'un, kendi yazıtındaki cümlelerin, dolayısıyla bilgilerin iyice anlaşılmadığını da göstermektedir. Zaten kendi anlattıklarıyla Ashide Yuanzhen hakkında bilinenler karşılaştırıldığında benzeyen bir durum olmadığını ifade etmek gerekir.

Tonyukuk'un adıyla ilgili çok şey söylenmiştir ancak adın *Tonyukuk* mu *Tunyukuk* mu olması gerektiği çok açık değildir. Bunun temel nedeni, *o* ve *u* seslerini gösteren işaretin bir tane olmasıdır. *Tonyukuk* adını anlamlandırma gayretiyle, *ñ* (*ny* 𐰪) sesinin bulunduğu yerden ikiye bölünmesi, sesin asli bir ses olması dolayısıyla zaten dil bilgisi kurallarına uymamaktadır. Üstelik bu önemli kişinin adı, dil bilgisi alanına uzak kimselerin elinde türlü okuma ve anlamlandırmalara uğramıştır.

Tonyukuk veya *Tunyukuk* olarak iki biçimde okunan bu adın, hangi anlamda olduğu da başka bir tartışma konusudur. Özellikle, Ashide Yuanzhen'ın adındaki *Yuanzhen* ifadesini zorlamayla "baş, yüce, en baştaki büyük, birinci derecede veya birinci olarak yücelmiş olan" veya "saklanan, korunan şey, kıymet, hazine, ziynet" anlamlarını verenlerin yanında, "elbisesi yağla kutsanmış" gibi oldukça tuhaf ve kabul edilemez anlamlandırmalar, adın yeterince anlaşılmadığının en iyi göstergesidir.

Tonyukuk adında da bulunan *ñ* (*ny* ꞈ) sesi, yazıtlar döneminden sonraki Türkçe metinlerde *n* veya *y* sesleriyle gelişimini sürdürdüğüne göre farazi bir *toñuk-* veya *tuñuk-* biçiminde bir fiil tasarlamak şeklen mümkün görünmektedir. Buradan fiilden isim yapan *-k+* ekiyle isim yapıldığı güçlü bir olasılıktır.

Tonyukuk kendi yazıtında; *Bilge Tonyukuk*'u on bir, *Bilge Tonyukuk Boyla Baga Tarkan* unvanınıysa bir kez kullanmıştır. *Bilge Tonyukuk Boyla Baga Tarkan* unvanında yer alan *boyla, baga* ve *tarkan* sözcükleri ayrı ayrı askerî unvanlardır.

Tonyukuk kendi yazıtında *ayguçı, ayıgma, çavış* ve *yagıçı* sözcükleri, yaptığı görevlerle ilgili önemli ipuçları vermektedir. Özellikle *ayguçı* ve *ayıgma* unvanlarının tabanı *ay-* fiili, "söylemek, sözcülük etmek" anlamında olduğuna göre Tonyukuk'un asıl yaptığı işin danışman ve müşavir olduğu kendiliğinden ortaya çıkmaktadır. Buna göre Tonyukuk, İlteriş Kağan, Kapgan Kağan ve Bilge Kağan, ancak özellikle İlteriş ve Kapgan Kağan dönemlerinde kağanın danışmanı, müşaviri pozisyonunda olduğunu belirtmek gerekir.

Tonyukuk yazıtı iki taştan oluşmakta olup birincisi ikincisine göre daha iyi durumda, harfler daha açık seçilebilmektedir. Her iki taşın ölçüleriyse şöyledir: Birinci taş 243 x 64 x 32 cm, ikinci taş 215 x 45-50 x 28 cmdir. Birinci taşta 35, ikinci taştaysa 27 satır bulunmaktadır.

Yazıtın ne zaman dikildiği konusu da bir başka tartışma alanıdır. Yazıtını Bilge Kağan'ın tahtta olduğu zamanda tamamladığı zaten kendi cümlelerinden anlaşılmaktadır. Yazıtın son satırı yani 2. taşın kuzey yüzünün 4. satırı şöyledir: *Türük bilge kagan türük sir bodunug oguz bodunug igidü olorur* "Türk Bilge Kağan Köktürk Sir halkını, Oğuz halkını besleyerek tahtta oturur."

Bilge Kağan'ın tahtta kaldığı 716-734 yılları arası yazıtın dikilme ihtimali olabilecek tarih aralığı olması nedeniyle farklı tarihlendirme yapanlar olmuştur. Tonyukuk'un, Köl Tegin yazıtındaki cümleleri gördükten sonra kendi yazıtını ona göre şekillendirdiği, damadı Bilge Kağan'ın kardeşi için yazdırıp diktirdiği Köl Tegin yazıtında kendisinden hiç bahsetmemesi, Tonyukuk'un da kendi yazıtında Bilge Kağan'dan çok az bahsetmesinin asıl nedeni olduğu öne sürülebilir.

1. Taş batı yüzü 1

𐰋𐰃𐰠𐰏𐰀:𐱃𐰆𐰪𐰸𐰸:𐰋𐰤:𐰇𐰕𐰢:𐱃𐰉𐰍𐰲:𐰃𐰠𐰭𐰀:𐰴𐰞𐰣𐱃𐰢:𐱅𐰇𐰼𐰚:𐰉𐰆𐰑𐰣:𐱃𐰉𐰍𐰲𐰴𐰀:𐰚𐰇𐰼𐰇𐰼:𐰼𐱅𐰃:

Bilge toñukuk ben özüm tawgaç ėliŋe kılıntım türk bodun tawgaçka körür erti

Bilge Tonyukuk, ben kendim Çin ülkesinde doğdum. (O sıralar) Türk halkı Çin'e tâbi idi.

1. Taş batı yüzü 2

𐱅𐰇𐰼𐰚:𐰉𐰆𐰑𐰣:𐰴𐰣𐰃𐰣:𐰉𐰆𐰞𐰢𐰖𐰣:𐱃𐰉𐰍𐰲𐰓𐰀:𐰑𐰺𐰞𐱃:𐰴𐰣𐰞𐰣𐱃:𐰴𐰣𐰣:𐰸𐰑𐰯:𐱃𐰉𐰍𐰲𐰴𐰀:𐰖𐰣𐰀:𐰃𐰲𐰚𐰓𐰃:𐱅𐰭𐰼𐰃:𐰣𐰲𐰀:𐱅𐰢𐰾:𐰼𐰤𐰲:𐰴𐰣:𐰋𐰼𐱅𐰢:

Türk bodun kanın bulmayın tawgaçda adrıltı kanlantı kanın kodup tawgaçka yana içikdi teŋri ança tėmiş erinç kan bėrtim

Türk halkı hanını bulamadığı için Çin'den ayrıldı, han sahibi oldu. (Daha sonra) hanını bırakıp Çin'e yeniden tâbi oldu. (Ebedî) gök şöyle demiş elbette: Han verdim.

1. Taş batı yüzü 3

𐰴𐰣𐰭𐰣:𐰸𐰑𐰯:𐰃𐰲𐰚𐰓𐰭:𐰃𐰲𐰚𐰓𐰚:𐰇𐰲𐰇𐰤:𐱅𐰭𐰼𐰃:𐰇𐰠:𐱅𐰢𐰾:𐰼𐰤𐰲:𐱅𐰇𐰼𐰚:𐰉𐰆𐰑𐰣:𐰇𐰠𐱅𐰃:𐰞𐰴𐰣𐱃:𐰖𐰸:𐰉𐰆𐰞𐱃:𐱅𐰇𐰼𐰚:𐰾𐰃𐰺:𐰉𐰆𐰑𐰣:𐰘𐰼𐰃𐰣𐱅𐰀:

Kanıŋın kodup içikdiŋ içikdök üçün teŋri öl tėmiş erinç türk bodun ölti alkıntı yok boltı türk sir bodun yėrinte

Hanını bırakıp tâbi oldun. Tâbi olduğun için (ebedî) gök "öl" demiş elbette. Türk halkı öldü, mahvoldu, yok oldu. Türk Sir halkının topraklarında

1. Taş batı yüzü 4

Bod kalmadı ıda taşda kalmışı kuwranıp yėti yüz boltı ėki ülügi atlıg erti bir ülügi yadag erti yėti yüz kişig

boy kalmadı. Yazıda yabanda kalanlar toplanıp yedi yüz (kişi) oldular. (Bunların) iki bölümü atlıydı, bir bölümü yaya idi. Yedi yüz kişiyi

1. Taş güney yüzü 8

Kaganım ben özüm bilge toñukuk ötüntök ötünçümün ėşidü bėrti köŋlüŋçe uduz tėdi kök öŋüg yoguru ötüken yışgaru uduztum ingek kölekin tuglada oguz kelti

kağanım (lütfedip), benim, Bilge Tonyukuk'un arz ettiklerini işitiverdi (dikkate aldı), "(orduyu) bildiğin gibi sevk et" dedi. Kök Öng (Ongi) Irmağı'nı (bata çıka) aşıp (orduyu) Ötüken (Ormanlı) Dağları'na doğru sevk ettim. İngek Gölcüğü ile Tula Irmağı (tarafından) Oğuzlar geldi.

2. Taş kuzey yüzü 3

Ėltėriş kagan bilge toñukuk kazgantok üçün kapgan kagan türük sir bodun yorıdokı <üçün> bo

Elteriş Kağan (ve) Bilge Tonyukuk başardığı için Kapgan Kağan Türk Sir halkını ilerlettiği için bu

2. Taş kuzey yüzü 4

Türük bilge kagan türük sir bodunug oguz bodunug igidü olorur

Türk Bilge Kağan Türk Sir halkını, Oğuz halkını besleyerek tahtta oturur.

Ongi Yazıtı

Bilge Kağan ve Köl Tegin yazıtlarının dikildiği Koşo-Çaydam Gölü civarının yaklaşık 160 km kadar güneyinde bulunan bu yazıt, Bilge Kağan, Köl Tegin, Tonyukuk yazıtlarının ardından önemli yazıtlardan biri olarak değerlendirilmektedir. Yazıtın Bilge Işvara Tamgan Tarkan adına dikildiği, bu kişinin babasının El Etmiş Yabgu, kardeşinin de Işbara Tamgan Çor olduğu yazıttaki cümlelerden anlaşılmaktadır.

Yazıtı, dikiliş tarihi bakımından Köl Tegin ve Bilge Kağan yazıtlarından daha eski bir döneme koymak isteyenler bulunduğu gibi, 740 yılına tarihleyip II. Köktürk Kağanlığı'ndan kalan en son yazıt olduğunu öne sürenler de bulunmaktadır. Yazıtın dikildiği tarihi gösteren satırdaki aşınma nedeniyle kimi araştırmacılar, sözcüğü *lüi* yani "ejderha yılı", kimi araştırmacılarsa *koñ yıl* "koyun yılı" okumak istemiş ve buna uygun olarak tarihlendirme yapmaya çalışmıştır.

Yazıtta, Köl Tegin'in doğu yüzünün tepeliğinde de bulunan dağ keçisi damgasıyla yılanı andıran soy damgası bulunmaktadır. Yazıt 19 (12+7) satırdan oluşmaktadır ancak Marcel Erdal'a göre güney yüzünde 6 satır daha bulunmaktadır. Yazıtın asıl dikildiği yer, Moğolistan'ın Övörhangay eyaletinin, Uyanga kasabasının, Maantiin Burd adlı bölgesidir. Üzerinde Türkçe metin bulunan yazıt, hâlen Övörhangay eyaletinin merkezinde bulunan Arvaiheer'deki müzede korunmakta olup yazıta ait tepelik ve üç parçaysa külliyenin bulunduğu yerde açıkta durmaktadır.

Doğu yüzü 1

[illegible]

<...> [illegible]

Eçümüz apamız yamı kagan tört buluŋug ėtmiş yıgmış yaymış basmış ol kan yok boltokda kėsre ėl yitmiş ıçgınmış kaçışmış? <...>

Atalarımız, dedelerimiz Yamı Kağan dört bir tarafı düzenlemiş, bir araya toplamış, (isyancıları) bastırmış. O han öldükten sonra yurdu kaybetmişler, (her tarafa) dağılmışlar <...>

Doğu yüzü 2

Kaganladok kaganın ıçgını ıdmış türk bodun öŋre kün tugsıkıŋa kėsre kün batsıkıŋa tegi bėrye tawgaçka yıraya yışka [tegi] <...>

Kağan yaptığı kağanını kaybedivermiş. Türk halkı doğuda gün doğusuna, batıda gün batısına kadar, güneyde Çin'e, kuzeyde bozkıra kadar <...>

Doğu yüzü 4

Kapgan ėltėriş kagan ėliŋe kılıntım ėl ėtmiş yawgu oglı ışwara tamgan çor yawgu inisi bilge ışwara tamgan tarkan aymaglıg bėş yėtmiş ėçim atım <...>

Kapgan (ve) Elteriş Kağan'ın ülkesinde yaratıldım. El Etmiş Yabgu oğlu Işvara Tamgan Çor Yabgu'nun kardeşi Bilge Işvara Tamgan Tarkan denilen(?) (kişiyim). Altmış beş amcam? (ve) yeğenim (var) <...>

Doğu yüzü 7

Yawız bat biz azıg üküşüg körtüg ėrte sület<d>im tėr ermiş amtı beglerime tėr ermiş biz az biz tėyin alkınur ertimiz <...>

kötü (ve) zayıf (durumdayız). Azı (ve) çoğu gördün. Erkenden sefer ettim dermiş. Şimdiki beylerime şöyle dermiş: "Biz azız deseydik mahvolurduk."

Kuzey yüzü 4

Üze teŋri koñ yılka yėtinç ay küçlüg alp er kaganımda adrılu bardıŋız bilge ataçım yoguŋ koruguŋun kazgantım <...> yėr teŋri öd<...>ç kirür er[ti] <...>

Yukarıda (ebedî) gök, koyun yılının yedinci ayında güçlü (ve) kahraman kağanımdan ayrılıverdiniz. Bilge babacığım yoğ törenini (ve) anıt mezarını yaptırdım. <...> yer (ve) gök <...> girer idi <...>

Küli Çor Yazıtı

Yazıt, 1912 yılında W. Kotwicz tarafından Moğolistan'ın başkenti Ulan Batur'un 200 km güneybatısında, Töv eyaleti sınırları içerisinde, Delgerhan kasabasının 30 km kuzeyinde, İh-Höşööt (Ikhe-Khushotu) adlı yerde bulunmuştur. Yazıt bugün, ilk dikildiği yerde açıkta durmaktadır.

30 satırdan oluşan yazıtın 29. satırı tümüyle silinmiştir. Son satırsa batı yüzünün alt bölümüne yatay olarak yazılmıştır. Yazıtın kolofon bölümü olan 27, 28 ve 30. satırlarda yazıtın yazıcısı ve anlatıcısı hakkında bilgi edinmek mümkündür.

Yazıt kahramanının adı, yazıtın her yerinde *Küli çor* biçiminde yazılmıştır. Bu ad veya unvan birliği, yazıt üzerinde çalışanların büyük bir bölümü tarafından *Küli Çor* biçiminde okunmuştur. *Köl İç Çor, Köli Çor* ve *Kül İç Çor* biçiminde de okuyanlar bulunmaktadır.

Yazıtta sıklıkla atların adlarının veya türlerinin belirtilmesi, düşmana atak biçimi gibi bazı cümle ve ifadelerin Köl Tegin yazıtındaki cümlelere benzemesi, en azından, yazan kimsenin Köl Tegin yazıtını görmüş olabileceğini düşündürtmektedir. Buna göre yazıtın 732 yılından sonra dikildiği öne sürülebilir.

Yazıtın sahibi Küli Çor'un, Bilge Kağan döneminde batıda yaşayan Tarduşları yönetmek üzere şad unvanına sahip bir yönetici olduğu, Bilge Kağan yazıtının güney yüzünün 13. satırında bulunan *kėsre tarduş begler kül<i> çor başlayu* "batıda, başlarında Küli Çor (ile birlikte) Tarduş beyleri" cümlesinden de anlaşılmaktadır.

Batı yüzü 3

<...>𐰴𐰍𐰣𐰠𐰃𐰤𐱅𐰀:𐰴𐰺𐰃𐰯:𐰓𐰏𐰇𐰋𐰭𐰃:𐰚𐰇𐰼𐱅𐰃:𐰆𐰞𐰍𐰚𐰇𐰠𐰃𐰲𐰆𐰺:𐰾𐰚𐰃𐰔𐰆𐰣:𐰖𐱁𐰯:𐰖𐰸

𐰉𐰆𐰞𐱃𐰃<...>

<...> kagan ėlinte karıp edgü beŋi körti ulug küli çor sekiz on yaşap yok boltı <...>

<...> kağanın ülkesinde yaşlanıp iyilik (ve) mutluluk gördü. Büyük Küli Çor seksen (yıl) yaşayıp öldü <...>

Doğu yüzü 3

<...> *Ak atım tayıg özlükin binip op[layu te]gip üç erig sançdı tür[gėş bodun] ėtdökde küli çor özlüki yegren at binip*

<...> Ak atımın tayı (olan) has atına binip ileri atılarak saldırıp üç askeri mızrakladı. Türgeş halkını düzene soktuğu sırada Küli Çor kahverengi has atına binip

Doğu yüzü 4

<...>*ı/i anta kėrü barıp yėnçü ügüzüg keçe temir kapıgka tezikke tegi sülep kazgantı tokuz oguzka yėti süŋüş süŋüşdökde*

<...> Oradan geri dönüp İnci Irmağı'nı (Sirderya) geçerek Demir Kapı'ya (ve) Tezik'e (Tacik?) kadar sefer edip kazandı. Dokuz Oğuzlarla yedi (kez) savaştığında

Doğu yüzü 5

<...>*a/e tökdi kıtañ tat[awı]* <...> *[süle]dökde bėş süŋüş süŋüşdökde küli çor ança bilgesi çawışı erti alpı bökesi erti*

<...> döktü. Kitan (ve) Tatavı(lar) <...> sefer ettiği sırada, beş (kez) savaştığında Küli Çor öylece bilgesi (ve) başkomutanı idi. Kahramanı (ve) yiğit savaşçısı idi.

Doğu yüzü 11

<...> süke tuso bolayın tėdi ülügi ança ermiş erinç yagıka yalŋus oplayu tegip opulu kirip özi kısga kergek boltı

"orduya yararlı olayım" dedi. (Hayattaki) nasibi bu kadarmış elbette. Düşmana yalnız atak yapıp, saldırıp ileri atılarak girince kendisi öldü.

Tes Yazıtı

Boris Ya. Vladimirtsov, 1915 yılında Kuzeybatı Moğolistan'a yaptığı bir gezide Tes Irmağı Vadisi'nde bulmuş ve yazıtın metnini kopya etmiş, daha sonra 1976 yılında Sergey G. Klyaştornıy ve Sarkojaulı Karcavbay tarafından Moğolistan'ın Hovsgöl eyaletinde, Tes Irmağı'nın yukarı bölümlerinde, Tsagaan-uul kasabası yakınlarında toprağa gömülü hâlde yeniden keşfedilmiştir. Yazıtın batı yüzünde 6, kuzey yüzünde 5, doğu yüzünde 6 ve güney yüzünde 5 olmak üzere toplam 22 satır yer almaktadır.

Satırların baştan ortaya kadar olan bölümünün aşınması nedeniyle yazıtın bu bölümünde yazılanlar karanlıkta kalmaktadır. Bu nedenle yazıtın okunabilen yerleri satırların son bölümüdür. Yazıtta, Uygurların öteki yazıtlarından Tariat ve Şine Usu'dakine benzer bir damga bulunmakta olup yazıt bugün Moğolistan Arkeoloji Müzesi'nde korunmaktadır.

Yazıtın dikildiği tarih tartışmalı olup yazıtı, 750 yılına tarihleyenler olduğu gibi daha geç dönemde yazıldığını öne sürenler de olmuştur. Ancak yazıtta anlatılan olaylar ve Tariat yazıtındaki benzer cümlelerin bulunması, bu yazıtın da Uygurların ikinci kağanı Moyan Çor'un kağanlık yılları (747-759) içerisinde yazılmış olabileceğine kanıt olarak değerlendirilebilir.

Kuzey yüzü 1

<...>𐱅𐰭𐰼𐰃:𐰶𐰞𐰦𐰸𐰑:𐰆𐰖𐰍𐰆𐰺:𐰴𐰍𐰣:𐰆𐰞𐰺𐰢𐱁:𐰉𐰚𐰆𐰞𐰍𐰴𐰍𐰣<...>

<...>[yėr] teŋri kılıntokda uygur kagan olormış bök ulug kagan [ermiş]

<...> Yer (ve) gök yaratıldığında Uygur kağanı tahta oturmuş. (O) yüce (ve) ulu kağan imiş.

Kuzey yüzü 2

<...>:𐰆𐰞𐰺𐰢𐱁:𐰀𐰣𐰃𐰭:𐰠𐰃𐰲𐰘𐰕𐰖𐰞:𐰠:𐱃𐰆𐱃𐰢𐱁:𐰣𐰲𐰯:𐰉𐰆𐰑𐰣𐰃:𐰉𐰺𐰑

<...> olormış anıŋ èli üç yüz yıl èl tutmış ançıp bodunı bardı

<...> tahta oturmuş. Onun yurdu, üç yüz yıl yurt tutmuş, sonra halkı gitti.

Kuzey yüzü 5

<...>𐰼𐰀:𐱃𐰉𐰍𐰲𐰴𐰀:𐰉𐰔𐰞𐰣𐰢𐱁:𐰆𐰖𐰍𐰆𐰺:𐰴𐰍𐰣:𐱃𐰸:𐰆𐰞𐰺𐰢𐱁:𐰘𐱅𐰢𐱁:𐰖𐰞:𐰼𐰢𐱁

<...> [öŋ]re tawgaçka bazlanmış uygur kagan tok olormış yètmiş yıl ermiş

<...> Doğuda Çin'e tâbi olmuş. Uygur kağanı tok (bir biçimde) tahta oturalı yetmiş yıl olmuş.

Doğu yüzü 4

<...>𐱅𐰭𐰼<...>𐰓𐰀:𐰉𐰆𐰞𐰢𐱁:𐰠:𐱅𐰢𐱁<...>𐰴𐰍𐰣𐰢:𐰆𐰞𐰺𐱃:𐰠:𐱃𐰆𐱃𐰑

<...> teŋr<i>de bolmış èl ètmiş [bilge] kaganım olortı èl tutdı

<...> Tengride Bolmış El Etmiş Bilge Kağan'ım tahta oturdu, yurdu tuttu (düzenledi).

Tariat (Terh) Yazıtı

Kaplumbağa kaidesiyle birlikte toplam dört parçaya ayrılmış yazıt, Moğolistan'ın Arhangay eyaletinin Tariat bölgesinde, Hangay Dağları'nın kuzeybatı kesimlerinde, Terh Irmağı Vadisi'nde toprağa gömülü olarak bulunmuştur. Yazıtın toplam dört parçası da Moğolistan'ın başkenti Ulan Batur'daki Moğolistan Arkeoloji Müzesi'nde koruma altındadır. Yazıtın dört yüzü de Türk runik harfli metinlerle kaplı olup doğu ve batı yüzünde 9, güney ve kuzey yüzlerinde 6, kaplumbağa kaidedeki tek satırla birlikte toplam 31 satırdan oluşmaktadır.

Teŋride bolmış el etmiş bilge kagan unvanlı Moyan Çor Kağan adına dikildiği anlaşılmaktadır. Yazıtta herhangi bir tarih kaydı bulunmasa da 753 yılında dikilmiş olabileceği, yazıt üzerinde çalışanların genel kanaatidir. Başka metinlerde geçmeyen bazı sözcükler, askerlikle ilgili terim ve unvanların çokluğu ve bunların yalnızca bu yazıtta bulunması, Tariat yazıtını tüm eski Türk yazıtları içerisinde ayrı bir yere koymayı zorunlu kılmaktadır. Ayrıca Tariat yazıtının belki de en önemli yanı, Kağan Moyan Çor'un ölümünden önce, kendine bağlı boyları oğullarına pay ettiğinin anlatılmasıdır.

Tariat yazıtında Çince yüz bulunmasa da kaplumbağa biçimli bir altlık üzerine oturtulmuştur. Kaplumbağa biçimli altlık üzerinde de bir satırlık metin bulunmaktadır. Bu satır şöyledir: *Bunı yaratıgma böke tutum* "Bunu yapan Böke Tutum'(dur)."

Doğu yüzü 1

[illegible] <...> [illegible] <...> [illegible]

<...>ç yol<l>ug kagan <...> bumın kagan üç kagan olormış èki yüz yıl olormış

<...> Yollug Kağan <...> Bumın Kağan (bu) üç kağan tahta oturmuş, iki yüz yıl hüküm sürmüşler.

Doğu yüzü 3

[illegible] <...>

<...> eçüm apam sekiz on yıl olormış ötüken èli tegres èli èkin ara orkon ügüzde

<...> Ceddim, atalarım seksen yıl hüküm sürmüşler. Ötüken yurdu (ile) Tegres yurdu, (bu) ikisinin arasında Orhon Irmağı'nda

Güney yüzü 5

[illegible] <...> [illegible]

[illegible] <...>

Bar tèdi <...> anta yawgu atadı anta kèsre küsgü yılıka sinligde küç kara bod[un er]miş sinsizde küç kara suw ermiş kara bodun turuyun kagan var" dedi(ler). <...> orada yabgu (olarak) atadı. Ondan sonra fare yılında (748), "sen varken halk güçlü imiş, sensizken (halkın) gücü kara su (gibi) imiş" (diyerek) halk ayağa kalkıp kağan (olarak)

Güney yüzü 6

𐱃𐰑𐰃:𐱅𐰭𐰼𐰃𐰓𐰀:𐰉𐰆𐰞𐰢𐱁:𐰠:𐱅𐰢𐰃𐱁:𐰋𐰃𐰠𐰏𐰀:𐰴𐰍𐰣:𐱃𐰑𐰃:𐰠:𐰋𐰃𐰠𐰏𐰀:𐰴𐱃𐰆𐰣:𐱃𐰑𐰃:𐰴𐰍𐰣

𐱃𐰣𐰯:𐰴𐱃𐰆𐰣:𐱃𐰣𐰯:𐰇𐱅𐰜𐰤:𐰆𐰺𐱃𐰽𐰦𐰀:𐰽:𐰇𐰭𐰇𐰔:𐰉𐱁:𐰴𐰣:𐰃𐰑𐰸:𐰉𐱁:𐰚𐰓𐰃𐰤𐰃𐰤:𐰇𐰼𐰏𐰤:𐰉𐰆𐰦𐰀

𐰃𐱅𐰃𐰓𐰢

Atadı teŋride bolmış ėl ėtmiş bilge kagan atadı ėl bilge katun atadı kagan atanıp katun atanıp ötüken ortosınta as öŋüz baş kan ıdok baş kėdinin örgin bunta ėti<t>dim

atadı. Tengride Bolmış El Etmiş Bilge Kağan (olarak) atadı. (Eşimi) El bilge Katun (olarak) atadı. Kağan (olarak) atanıp (eşim de) hatun (olarak) atanıp Ötüken'in ortasında As Öngüz Baş ve Kan Iduk Baş (Dağları'nın) batısında kağanlık otağını burada kurdurdum.

Şine Usu Yazıtı

Uygur Kağanlığı yazıtları içerisinde satır sayısı bakımından en hacimli olandır. 1909 yılında Gustaf J. Ramstedt tarafından Kuzeybatı Moğolistan'da, Şine Usu Gölü civarında bulunan yazıt, 3 m 80 cm yüksekliğinde olup dört köşeli granit taştır. Çince bölüm bulunmayan taşın dört yüzü de Türk runik harfleriyle kaplı olup yazıtın kuzey yüzünde 13, doğu yüzünde 12, güney yüzünde 15, batı yüzündeyse 12 satır bulunmaktadır. Tes ve Tariat yazıtları gibi 747-759 yılları arasında kağanlık tahtında bulunan *Teŋride bolmış el etmiş bilge kagan* yani Moyan Çor tarafından 759 veya 760 yılında yazdırılmış ve diktirilmiştir. Yazıt bugün ilk bulunduğu yerde, Arhangay eyaleti sınırları içerisinde bulunan Mogoyn Şine-Us bölgesinde iki parça hâlinde kırık durumdadır.

Yazıtın en kötü durumda olan batı yüzündeki aşınmalardan dolayı burada yer alan olayların tam olarak neler olduğunu anlamak güçtür. Ancak bu bölümde An Lushan isyanında Uygurların Tang Hanedanı'na yardımından söz edilmiş olabileceği, kesik cümlelerden veya olayları çağrıştıran sözcüklerden anlaşılabilmektedir.

Kuzey yüzü 2

<...>I⋈Ч𐰓:I⋈Ƭ<...>ΓY:ƧΘ:I⋈ƬƧꟷYI:Γ𐰓>ΥI⋈Ч.>.ЧʜΓꟷΓYΓΙƬЄhΓYʜꟷΓhΓ

Ötüken ėli tegres ėli ėkin ar[a] o[lo]rmış suwı seleŋe ermiş anta ėli <...> ermiş barmış <...>

Ötüken yurdu (ile) Tegres yurdu, (bu) ikisinin arasında hüküm sürmüş, suyu Selenge imiş. Orada yurdu <...> imiş, gitmiş <...>

Kuzey yüzü 3

:Ƨ<...>I:1>ЧJ>JΓDꟷΓ?:ƧꟷΓ:ꟷΥ>ꟷ↓Ꙩ:Ч>ΥD>)>:)⋙>𐰓:ΓI⋈Jʜ:ƧΘ<...>>Υ

<...>>:ꟷЄΓ)>↓Ч>

Su[w] <...> anta kalmışı bodun on uygur tokuz oguz üze yüz yıl olorup s <...> a/e orkon ügüz o/u <...>

Su <...> o sırada, geri kalan halk (ile) On Uygur(lar), Dokuz Oğuz(lar)a yüz yıl hükmedip <...> Orhon Irmağı <...>

Kuzey yüzü 9

<...>Ꙩ:ƧʜΓꟷD:ΓM:DΓꟷ.IꟷΓ:ΓhʜΓꟷ:⋈⋙ΓЧ>D:ƧʜJΓD3>ʜ:I⋈J>𐰓)ʜ:ʜЄΓh:I⋈ꟷ>

Ozmış tėgin kan bolmış koñ yılka yorıdım ėkinti süŋüş [eŋ il] ki ay altı yaŋıka t[okıdım] <...>

Ozmış Tegin han olmuş. Koyun yılında (743) (üzerlerine) ordu sevkettim. İkinci savaş, birinci ayın altıncı gününde (idi), (onları) bozguna uğrattım <...>

Doğu yüzü 3

:)ΓΥΓʜJΓD:⋈⋙3Υ:⋈XIꟷΓ:ƧʜΓꟷDʜʜ>Ꙩ:D3hƬΓh:⋈Xh?:Ƨ⋙>ΥЧ>𐰓:⋈hƬΓ

:ЧꙨꙨꟷ↓Ꙩ:ꟷΥ>ꟷꟷI:ΓhYꟷ:>⋙>:D3IΓ𐰓:⋈hƬYꟷ:)Γꟷ⋙>ʜ:)ΓꟷΓʜ:)Γ⋈Ч𐰓

ЄƬ⅄:ΓЄh:ƧꟷΓΥ𐰓ΙΓΥ:ЧꟷΓΥ:ʜXƬ𐰓:J>ʜ:)>JΓD:ʜXΓꟷ:ƧꟷYI:ΓhYꟷ:ΓꙨ⋈Jʜ

⋈XhΓ

Ėrtim burguda yėtdim törtünç ay tokuz yaŋıka süŋüşdüm sançdım yılkısın barımın kızın koduzın kelürtüm bėşinç ay udu kelti sekiz oguz tokuz tatar kalmatı kelti seleŋe kėdin yılun kol bėr<i>din sıŋar şıp başıŋa tegi çerig ėtdim

Ulaştım. (Onlara) Burgu (Irmağı)'da yetiştim. Dördüncü ayın dokuzuncu gününde savaştım, mızrakladım. At sürülerini, varlıklarını, kızlarını ve karılarını getirdim. Beşinci ay, izleyerek geldiler. Sekiz Oğuz (ve) Dokuz Tatar(-lar)dan herkes geldi. Selenge'nin batısında Yılun-Kol'un güney ucundan Şıp (Irmağı'nın) kaynağına kadar asker konuşlandırdım.

Güney yüzü 1

[illegible]

[illegible]

Ėşiŋe er kelti karlok ėşiŋe kelmedök tėdi erin sü karlok tapa <...>-g kem kargu . -dı ertiş ügüzüg arkar başı tuşı anta er kamış altın . [ya]nta s<...>p keçdim bir yėgirminç ay sekiz yėgirmike <...> yolukdum bulçu ügüzde üç karlokug

Müttefiklerinden adam geldi. "Karlukların müttefiklerinden (kimse) gelmedi" dedi. Ordusunu Karluklara doğru <...> Kem (ve) Kargu . (?) İrtiş Irmağı'(nın), Arkar başı (denilen) birleşme yerinde, orada kamıştan yapılmış, altta <...> geçtim. On birinci ayın on sekizinde <...> karşılaştım. Bulçu (Urungu) Irmağı'nda Üç Karlukları

Güney yüzü 2

[illegible]

[illegible]

Anta tokıdım anta yana tüşdüm çik bodunug bıŋam süre kelti <...> tez başı çıtımın yayladım yaka anta yakaladım çik bodunka totok bėrtim ışwaras tarkat anta ançoladım <...> anta <...>ks er kelti kazluk költe

Orada bozguna uğrattım. Oradan tekrar döndüm. Çik halkını, süvari birliğim önüne katıp geldi <...> Tes (Irmağı) kaynağında çitimi (vurdurup) yazı geçirdim. Karargâhın sınırlarını belirledim. Çik halkına askerî vali atadım. (Onlara) ışvara (ve) tarkan unvanlarını orada takdim ettim. Orada <...> adam geldi. Kazluk Gölü'nde…

Suci Yazıtı

1900 yılında Gustaf J. Ramstedt tarafından, Kuzey Moğolistan'da Ar-Ashatu Dağı, Dolon Huduk civarında Sudcin-Dava adlı yerde bulunmuş olup bu nedenle yazıt, Süci ve Bel adlarıyla da bilinmektedir. 11 satırdan oluşan bu yazıtın ilk dokuz satırı aşağıdan yukarıya, 10 ve 11. satırlarsa sağdan sola doğru yazılmıştır. Moğolistan'da bulunan ve II. Köktürk ve Uygur Kağanlıklarından kalan yazıtlarda yukarıdan aşağıya doğru yazma sistemi göze çarparken Yenisey yazıtlarının neredeyse tümünde görülen aşağıdan yukarı doğru yazma düzeninin bu yazıtta da bulunması, adına yazıt dikilen kişinin Kırgız olmasına bağlanabilir ve dolayısıyla Kırgızların bu yazım geleneğini uyguladıkları öne sürülebilir.

Yazıtın bugün nerede olduğu bilinmediği için ancak Ramstedt'in 1913 yılında ilk kez yayımladığı makaledeki fotoğraf ve çizimden yararlanılabilmektedir.

Yazıtın hangi tarihte dikildiği ve dolayısıyla Uygur yazıtlarından biri olup olmadığı tartışılmıştır. Yazıt üzerinde ilk çalışanlarca Yenisey bölgesi yazıtı olduğu düşünülerek "E 47" numarası verilmiştir. Yazıtın ilk satırından hareket ederek 840'tan sonraki yani Ötüken ve civarındaki Kırgız egemenliği dönemine yerleştirmek isteyenler de olmuştur. Ancak her ne kadar adına yazıt dikilen bu önemli kişi Kırgız olduğunu belirtse de Uygur Kağanlığı döneminde dikildiği güçlü bir olasılıktır. Yazıttan elde edilen söz varlığı, özellikle kimi tek örneklerin bulunması kuşkusuz değerlidir.

[illegible] 1

[illegible] 2

[illegible] 3

[illegible] 4

[illegible] 5

[illegible] 6

[illegible] 7

[illegible] 8

[illegible] 9

[illegible] 10

[illegible] 11

1. *Uygur yėrinte yaglakar kan ata kel[igme]*
2. *Kırkız oglı men boyla kutlug yargan*
3. *Men kutlug baga tarkan öge buyrukı men*
4. *Küm sorugum kün tugsuka <kün> batsıka*
5. *Tegdi bay bar ertim agılım on yılkım sansız erti*
6. *İnim yėti urım üç kızım üç erti ewledim oglumın*
7. *Kızımın kalıŋsız bėrtim marıma yüz er torug [bėr]tim*
8. *Yėgenimin atımın körtüm amtı öltüm k<...>*
9. *Oglanım erde marımınça bol kanka tap katıglan*
10. *Ulug oglum s[ük?]e bardı*
11. *Körmedim r<...>m ogul*

1. Uygur ülkesindeki Yağlakar hanını sürerek gelen
2. Kırgız oğluyum (Kırgızlardanım). (Ben) Boyla Kutlug Yargan('ım).
3. Kutlug Baga Tarkan Öge'nin komutanıyım.
4. Şanım şöhretim gün doğusundan (gün) batısına (kadar)
5. Ulaştı. Zengin (ve) varlıklıydım. Ağılım on, at sürülerim sayısızdı.
6. Kardeşim yedi, oğlum üç, kızım üç idi. (Onları) evlendirdim. Çocuklarımı
7. Kızımı başlıksız verdim. Hocama yüz kişi (ve) doru atlar takdim ettim.
8. Yeğenlerimi, yeğenlerimi? gördüm. Şimdi öldüm. <...>
9. Evlatlarım! Her zaman hocalarınız gibi olun, hana hizmet edin, çalışıp çabalayın!
10. Büyük oğlum savaşa gitti.
11. Görmedim. <...> evlat!

II. Karabalgasun Yazıtı

Yazıt, 1973 yılında Myagmarjav adında bir öğretmen tarafından Jarantai Irmağı'nın doğu bölümünde, Karabalgasun kent kalıntılarının 8 km kadar kuzeyinde bulunmuş olup Hotont'taki bir okulun bahçesine taşınmıştır. Yazıt bugün Ulan Batur'daki Arkeoloji Müzesi'nin önünde dikili olarak durmaktadır. Yazıtta 12 satırlık Türk runik harfli metnin dışında iki de damga bulunmaktadır. Satırların işlendiği taşın yüzünün dar olması nedeniyle satırlar da kısa kısa verilmiştir. Adına yazıt dikilen kahramanın kim olduğu bilinmemekle birlikte, üst düzey bir askerî yetkili ve Kunç veya Ukunç adlı bir kimsenin komutanı olduğu anlaşılmaktadır.

𐰴𐰆𐰨 1
𐰉𐰆𐰖𐰺𐰸𐰃:𐰼𐱅𐰢: 2
𐰇𐰭𐱅𐰤𐰏:𐱃𐰃𐰑𐰺 3
𐰼𐱅𐰢:𐰚𐰃𐰓𐰤𐰏: 4
𐰀𐱅𐰼𐰇𐰼:𐰼𐱅𐰢: 5
𐰚𐰇𐰚:𐱅𐰭𐰼𐰃𐰓𐰀: 6
𐰴𐰆𐱃𐰢:𐰖𐰆𐰖𐰴𐰀: 7
𐰉𐰆𐰞𐱃𐰃:𐰖𐰍𐰃𐰔: 8
𐰘𐰼𐰓𐰀:𐰖𐰆𐰞𐰃𐰢: 9
𐰴𐰃𐰽𐰍𐰀:𐰉𐰆𐰞𐱃𐰃: 10

(1) *<u>kunç* (2) *buyrukı ertim* (3) *öŋtünüg tıdar* (4) *ertim kėdinig* (5) *ėterür ertim* (6) *kök teŋride* (7) *kutum yuyka* (8) *boltı yagız* (9) *yėrde yolım* (10) *kısga boltı*

(1) Ukunç (2) komutanı idim (3) doğuyu (düşmandan) korur (4) idim. Batıyı (5) düzene sokardım. (6) Mavi gökte (7) kutum yufka (8) oldu. Yağız (9) yerde (yeryüzünde) talihim (10) kısa oldu.

Hangiday (Hangita-Hat) Yazıtı

Moğolistan'daki kaya yazıtlarının en önemlilerinden biri olan yazıt, başkent Ulan Batur'dan 280 km batıda, Bulgan ilçe merkezine yakın bir kayalık üzerinde bulunmuştur. Kaya üzerinde bulunan ve ejderhayı andıran kaya üstü tasvirin damga olduğunu öne süren araştırmacılar bulunmaktadır.

ЧΥᛟ8>ꓥ <...> 1
ΓҺ(?X)ҺꓶJ.I≫⅄>.ΓΥЧh.ΓJ²I(>.)ꓥҺδ 2
≫ҺᛚΥЧhΥЄᛟ 3
ЧJ.)²I(⅄8..I.ΓXhᛟ 4
ꓶЄYΥЄᛟ 5

(1) <...> *kut bériŋ* (2) *baz kan oglı teŋri uçmış bezizi* (3) *begr<ek> teŋrikenim* (4) *bitidi s.. ataçıg n? alıŋ* (5) *beglerig e* (1) <...> kut verin! (2) Baz Kan'ın oğlu Tengri vefat etmiş. (Bu) yazıtı(dır). (3) Kudretli bey (olan) azizim. (4) Yazdı (hâkketti), babacığını ? alın? (5) Beyleri!

Hoyto-Tamır XIV Yazıtı

Hoyto-Tamır veya Tayhar-Çuluu adıyla bilinen yazıtlar, Moğolistan'ın Arhangay eyaletine bağlı İkhtamır kasabası yakınlarındaki büyük bir kaya kütlesi üzerinde bulunmaktadır. Kaya üzerinde Türk runik harfli toplam 21 yazıt keşfedilmiş olup yazıtların Uygur Kağanlığı'nın egemen olduğu dönemde yazıldığı genel kanaattir.

:ΓꞫꓥҺΓꓥΓ 1
ΓꞫꓥҺΓ)JΓD 2
Ч>⅄YΓᛚY>≋Чᛟ 3
ЧΓЧδꓶꓥΓJδIᛟ 4
'I'J≪>ꓥ ҺΓᛟ 5
ꓥ>ҺJ>δ 6

(1) *in<i> öz inençü* (2) *yılan <yıl> öz inençü* (3) *tarduş kül<i> çor* (4) *bėş balıka barır* (5) *biz kutlug* (6) *bolzun*

"(1) İni Öz İnençü (2) yılan yılında Öz İnençü (ile) (3) Tarduş Küli Çor (4) Beşbalık'a gider-(5) iz. Kutlu (6) olsun.

Yenisey (Tuva ve Hakasya) Yazıtlarından Örnekler

Uyuk-Turan (E 3) Yazıtı

1888 yılında, J. R. Aspelin başkanlığındaki Fin Arkeoloji Kurumu tarafından Uyuk Irmağı'nın sol kolu olan Turan Irmağı'nın sağ kıyısında, Turan kasabasının yakınında bulunan yazıt, bugün Tuva Müzesi'nde korunmaktadır. Yazıtta toplam altı satırlık Türkçe metin bulunmaktadır.

[illegible] 1

[illegible] 2

[illegible] 3

[illegible] 4

[illegible] 5

[illegible] 6

1. *kuyda kunçuyum özde oglum yıta esizim e yıta bökmedim adrıltım kinim kadaşım yıta adrıltım*

2. *altunlig kėşig bėlimte bantım teŋri ėlimke bökmedim esizim e yıta*

3. *öçin külüg tirig ben teŋri ėlimte yemlig ben*

4. *üç yėtmiş yaşımka adrıltım egök katun yėrimke adrıltım*

5. *teŋri ėlimke kazgakım oglumın öz oglum altı biŋ yuntum*

6. *kanım tölböri kara bodun külüg kadaşım esizim e ėçiçim er ögler oglan er küdegülerim kız kelinlerim bökmedim*

1. Obada eşim, vadide çocuk(lar)ım eyvah! Ne yazık! Eyvah! Doymadım, ayrıldım (öldüm). Akrabalarım, eyvah! (Sizlerden) ayrıldım.

2. Altınlı (altınla süslü) okluğu belime bağladım. Kutlu yurduma doymadım, ne yazık! Eyvah!

3. (Ben) Öçin Külüg Tirig'im. Kutlu yurdumda güçlü, kuvvetliyim.

4. Altmış üç yaşımda öldüm. Uyuk (ve) Katun (Irmaklarının suladığı) yerimden ayrıldım.

5. Kutlu yurdumda kazancım, çocuk(lar)ım (ve) altı bin atım.

6. Hanım Tölböri, halkım, ünlü akrabalarım, ne yazık! Ağabeyciğim, annelerim, erkek çocuklarım, erkek güveylerim, kızlarım ve gelinlerim, (hepsine) doymadım.

Barık III (E 7) Yazıtı

1891 yılında, D. A. Klementz tarafından Barık Irmağı'nın kıyısında bulunan yazıt, 1961 yılında İ. A. Batmanov tarafından Tuva Müzesi'ne taşınmıştır. Yazıt dört satırlık Türkçe metin içermektedir.

[illegible] 1
[illegible] 2
[illegible] 3
[illegible] 4

1. *bayça saŋun oglı külüg çor*
2. *buŋusuz ulgatım buŋ bo ermiş*
3. *teŋrideki künke yėrdeki ėlimke bökmedim*
4. *kuyda kunçuyumgaka özde oglumka adrıldım*

1. (Ben) Bayça Sangun oğlu Külüg Çor('um).
2. Sıkıntısızca büyüdüm (ama) sıkıntı (asıl) bu imiş.
3. Gökteki güneşe (ve) yer(yüzün)deki yurduma doymadım.
4. Obadaki eşimden, vadideki çocuklarımdan ayrıldım.

Elegest I (E 10) Yazıtı

1888 yılında, J. R. Aspelin başkanlığındaki Fin Arkeoloji Kurumu tarafından Elegest Irmağı Vadisi'nde bulunan yazıtta toplam 12 satırlık Türkçe metin vardır. 320 cm yüksekliğindeki yazıt, bugün Hakasya'nın Minusinsk kentindeki Minusinsk Müzesi'nde koruma altındadır.

1. *kuyda kunçuyum a esizim e yıta özde oglum esizim e adrıltım yıta*

2. *yüz er kadaşım uyurın üçün yüz erin elig öküzün tikdi*

3. *kök teŋride kün ay esiz ermiş yıta esizim e adrıltım*

4. *kanım ėlim e esizim e yıta bökmedim kanım ėlimiz yıta adrıltım*

5. *körtl<e> kan al<p> uruŋu altunlıg kėş egnin yü<d>tüm bėlde ban<t>ım tokuz sekizon yaşım*

6. *uruŋu külüg tok bögü terken e kaŋım beg erdem üçün birle bardım*

7. *kara bodunum katıglanıŋ ėl törösin ıdmaŋ yıta esiz ėlim kanım*

8. *ėlim ugrınta sü bolup er <ö>lürmedöküm yok çiwiligde bir tegimde sekiz er ölürdüm*

9. *ėlim utuşıŋa azıp kala<y>ın adrılayın b[ar]s yılta er[ti ya] lıkayın*

10. *buŋ baŋa bunt<a> ermiş öldüm yıta esizim e yalıkayın a*

11. *tört adak<lıg> yılkım sekiz adaklıg barımım buŋum yok erdim*

12. *kadaşım a kinim e adrıltım a yıta kara bodunum a adrıltım yıta men*

1. Obadaki eşim! Ne yazık! Ne acı! Vadide çocuklarım! Ne yazık! (Sizlerden) ayrıldım. Ne acı!

2. Yüz erkek akrabam muktedir oldukları için, yüz kişi (ve) elli öküz ile (bu ebedî taşı) diktiler.

3. Mavi gökte(ki) güneş (ve) ay, kutlu imiş, ne acı! Ne yazık! (Onlardan) ayrıldım.

4. (Ey) hanım (ve) yurdum! Ne yazık! Ne acı! (Sizlere) doymadım! Hanım ve yurdumuz, ne acı! (Sizlerden) ayrıldım!

5. (Ben) Körtle Han Alp Urungu'yum. Altınlı (altınla süslü) okluğu sırtıma vurdum, belime bağladım. Yetmiş dokuz yaşımda,

6. (Ey) Urungu Külüg Tok Bögü Terken, babam, bey, kahraman (olduğu) için, birlikte gittim.

7. (Ey) avam halkım, çalışın çabalayın. Yurdu, yasaları elden bırakmayın, ne acı! Zavallı yurdum ve hanım!

8. Yurdum uğrunda asker olup adam öldürmediğim yok. Çivilig'de bir saldırıda sekiz adamı öldürdüm.

9. Yurdum uğruna çekip gideyim, ayrılayım. (Ölümüm) pars yılında idi. Tek başıma kalayım.

10. Dert bana burada (bu zamanda) erişmiş. Öldüm, ne acı! Ne yazık! Tek başıma kalayım (artık)!

11. Dört ayaklı hayvanlarım, sekiz ayaklı malım mülküm (pek çoktu). (Hiçbir) derdim yoktu.

12. Akrabalarımdan, yakınlarımdan ayrıldım, ne acı! Avam halkımdan ayrıldım, ne acı! Ben.

Çaa-Höl V (E 17) Yazıtı

J. R. Aspelin başkanlığındaki Fin Arkeoloji Kurumu tarafından 1888 yılında bulunan yazıt, 3 satırlık Türkçe metin içermekte olup bugün Tuva Müzesi'nde korunmaktadır.

[illegible] 1

[illegible] 2

[illegible] 3

1. *tüz bay küç bars külüg*
2. *uyur kadınım <ü>çün öldüm yıta ėçim yurçumka y[ıta]*
3. *uyur begimke adrıltım uyur kadaşımka adrıltım*

1. (Ben) Tüz Bay Küç Bars Külüg('üm).
2. Kudretli kaynım için öldüm, ne acı! Ağabeyim, kayınbiraderim, ne acı!
3. Kudretli beyimden ayrıldım, kudretli akrabalarımdan ayrıldım.

Çaa-Höl VII (E 19) Yazıtı

1888 yılında, J. R. Aspelin başkanlığındaki Fin Arkeoloji Kurumu tarafından bulunan yazıtta 3 satırlık Türkçe bir metin ve bir de damga yer almaktadır. Bugün Minusinsk Müzesi'nde korunan yazıtın farklı tarafı, satırların soldan sağa doğru yazılmasıdır.

1 𐰸𐰆𐱃𐰞𐰆𐰍:𐰲𐰃𐰏𐱁𐰃𐰋𐰤:𐰴𐰑𐰺𐰖𐰍𐰑𐰀
2 𐰴𐰺𐰀𐰉𐰆𐰑𐰆𐰣𐰢𐰀:𐰖𐰃𐱃𐰀:𐰾𐰔𐰢𐰀
3 𐰠𐰃𐰢𐰀:𐰾𐰔𐰢𐰀<...>

1. *kutlug çigşi ben kadır yagıda*
2. *kara bodunum a yıta esizim e*
3. *ėlim e esizim e [adrıltım]*

1. (Ben) Kutlug Çigşi'yim. Güçlü düşmanda,
2. Halkım, ne acı! Ne yazık!
3. Yurdum, ne yazık! [ayrıldım].

Altın-Köl I (E 28) Yazıtı

E. F. Korçakov tarafından, 1878 yılında Abakan Irmağı'nın sağ kıyısında, Altın Göl'e 1 km kadar uzaklıkta bulunmuştur. Kahverengi kum taşından yapılan yazıt, 1881 yılında Minusinsk Müzesi'ne taşınmıştır. Yazıtta toplam dokuz satırlık Türk runik harfli Türkçe metin bulunmaktadır.

1 [illegible]

2 [illegible]

3 [illegible]

4 [illegible]

5 [illegible]

6 [illegible]

7 [illegible]

8 [illegible]

9 [illegible]

1. *on ay ėletdi ögüm e kelürti ėlimke erdem üçün men yırildim*

2. *ėlim ökünçüŋ e kalın yagıka kaymatın tegipen adrıldım a yıta*

3. *iniŋizke ėçiŋizke ingen yüki ėld<e> tüşürtüŋüz*

4. *yėrdeki bars tegim e erdemligim e bökm[edim]*

5. *atsar alp ertiŋiz e tutsar küç ertiŋiz e inilig bört una bars adrılm<a> yıtu*

6. *botomuz umay begimiz biz uya alp er özin alıtı kılmadıŋ özlük at özin üç erig almadıŋ yıta ėzençüm e küzençüm e adrılma seçlinme ögürdüm*

7. *altun soŋa yış kėyiki artgıl taşgıl atdaçı? <u>na barsım adrılu bardı yıta*

8. *tört iniligü ertimiz bizni erklig adırtı yıta ersedim e*

9. *er er<d>em <ü>çün inim ėçim uyurın üçün beŋgümün tike bėrti*

1. Annem, on ay (karnında) taşıdı (ve) doğurdu. Yurduma kahramanlık için, (yurdumdan) ayrıldım.

2. Yurdum, pişmanlığın (ne pişmanlık!), güçlü düşmandan (geri) dönmeden saldırırken ayrıldım (öldüm), ne acı!

3. Kardeşlerinize, ağabeylerinize, dişi devenin (sırtındaki) yükü yurda getirdiniz.

4. Yeryüzündeki pars (gibi) saldırışım (ve) kahramanlığıma doymadım.

5. Atsanız, kahraman idiniz (ve) tutsanız güç(lü) idiniz, kardeşlerim Bört (ve) Una Bars'tan ayrıldım, ne acı!

6. Deve yavrularımız, Umay (ve) beyimiz, güçlü, kahraman askerin kendisini yakalatamadın. Has atların kendilerini (ve) üç askeri almadın, ne acı! Istırabım ve koruyucum, ayrılmayın, neşem, hayat kaynağım!

7. Altun Songa (ormanlık) Dağı'nın yabani hayvanları artsın, çoğalsın. Una Bars (adlı kardeşim) ayrılıverdi (öldü), ne acı!

8. Dört kardeş idik. Bizi güçlü (Tanrı) ayırdı, ne yazık! Askerlerimi özledim.

9. Erkeklik kahramanlığım için, kardeşim (ve) ağabeyim muktedir oldukları için ebedî taşımı dikiverdiler.

Bay-Bulun I (E 42) Yazıtı

1915 yılında A. V. Adrianov tarafından Ulug-Hem Irmağı civarındaki Bay-Bulun kurganında bulunan yazıt, bugün Minusinsk Müzesi'ndedir. Yazıtta toplam 9 satırlık Türkçe metin bulunmaktadır.

1 [illegible] (?) [illegible]
2 [illegible]
3 [illegible] <...> [illegible] <...>
4 <...> [illegible]
5 [illegible] <...> [illegible]
6 [illegible]
7 [illegible]
8 [illegible]
9 [illegible]

1. *öz yėrim ıdok yėrim esiz e esiz ėlim kanım kün ay esiz e nas tegi ö<z> yėrimin beg<i> ögür*

2. *yüz er kadaşım esizim e biŋ er bodunum a esizim kıktlu(n?) (kırk atın?) bodunum edgü taşıŋ*

3. <...>*ık*<...> *yėtmiş yaşım a öltüm yėtmiş er ölürdüm biŋ yılkı ts*

4. *üç arguy art*<*d*>*ım esizim e adrı*<*l*>*tım a bökmedim e azmatım ay kü[n]* <...>

5. *kadaşım erin eŋleyü yogladıŋ*<*ız*> *edgü iş kem ügüz beŋü yėrlendim e b[eŋü]*

6. *sugur çad bitidim biz (ben?) sekiz adaklıg barımım bagşım a tirig bökmedim*

7. *erdem üçün ınal* <*ka*>*ntan üntüm e esiz e ökünçüg erdemim başı üçün e ölürdüm*

8. *er atım öz tugdı oglanım esiz e ewçim adrıltım a*

9. *yėti yėtmiş*

1. Öz yerim kutlu yerim ne yazık! Kutlu yurdum, hanım, güneş (ve) ay, ne yazık! <...> kadar öz yurdumun beyi(ni) över(im)

2. Yüz erkek akrabam ne yazık! Bin askerim, halkım ne yazık! (?) (kırk at ile?) halkım iyi taşı

3. <...> Yetmiş yaşımda öldüm. Yetmiş asker öldürdüm. Bin at sürüsü <...>

4. Üç siperi arttırdım, ne yazık ki ayrıldım. (Sizlere) doymadım, ayrılmadım, ay (ve) güneş <...>

5. Akraba(lar)ım erleriyle avlanıp, yoğ töreni yaptınız, iyi İş Kem Irmağı'nın (kenarına) ebedî (olarak) yerleştim, ebedî <...>

6. (Ben) Sugur Şad'ım. (Taşı, ben) yazdım. Biz (ben?), sekiz ayaklı malım mülküme, bakşıma hayattayken doymadım.

7. Kahramanlık için Inal Han'ın (huzuruna) çıktım, ne yazık! Pişmanlığımı kahramanlığımın başı için öldürdüm.

8. Erkeklik adım Öz Tugdı. Çocuklarım(dan), ne yazık! Eşim(den) ayrıldım.

9. (Yaşım) Altmış yedi (idi).

Kızıl-Çıraa I (E 43) Yazıtı

1916 yılında A. V. Adrianov tarafından, Bayan-Kol Irmağı'nın doğusunda, Ak-Dağ ve Ak-Şançi Tepeleri'nin arasında bulunan yazıt, 1961 yılında Tuva Müzesi'ne taşınmıştır. Yazıtta toplam 6 satırlık Türkçe metin bulunmaktadır.

[illegible] 1
[illegible] 2
[illegible] <...> [illegible] 3
[illegible] 4
[illegible] 5
[illegible] 6

1. *bodunum a oglum a yutuzum a*
2. *adrıltım seçlintim yıta buŋ a*
3. *er erdemim <ü>çün sü egir[e] <...> [ç]or adrıltım*
4. *kulum alp üçün bir erig ok birle sün<t>üm*
5. *birle*
6. *bo kan ėki elig yaşı esizim e*

1. (Ey) Halkım! Çocuklarım! Eşim!
2. (Sizlerden) ayrıldım, ayrıldım eyvah! Ne sıkıntı!
3. Erkeklik kahramanlığım için orduyu bozguna uğratarak <...> Çor'dan ayrıldım.
4. Kulum Alp için bir askeri ok ile mızrakladım.
5. İle
6. Bu han, kırk iki yaşı(nda idi). Ne yazık!

Tuva D (E 51) Yazıtı

1939 yılında, S. V. Kiselëv tarafından bulunan ve Minusinsk Müzesi'ne taşınan yazıtta toplam 6 satır bulunmaktadır.

[illegible] 1
[illegible] 2
[illegible] (?) [illegible] 3
[illegible] 4

1. *er atım kök tirig ben esizim e kadaşım a esiz e ogulanım a ėçim adrıl<t>ım a*

2. *ėlim kanım a esizim e er erdemi tokuz ogadmadım a yėrim esiz e*

3. *yėti ėç<i> ekem e esiz e ėşim e esiz e*

4. *ėşim <u>grın<t>a altı er balbarım*

1. Erkeklik adım Kök Tirig('dir). Ne yazık! Akrabalarımdan (ayrıldım), ne acı! Çocuklarımdan, ağabeyimden ayrıldım.

2. Yurdum(dan), hanımdan (ayrıldım), ne yazık! Erkeklik kahramanlığımı dokuz (kez) elde edemedim (imkân bulamadım), toprağıma (yurduma), ne yazık!

3. Yedi ağabeyim (ve) kız kardeşime (doymadım), ne yazık! Eşimden (dostumdan) (ayrıldım), ne yazık!

4. Eşim (dostum) uğrunda altı kişi (tarafından dikilmiş) balbalım.

Dağlık Altay Yazıtlarından Örnekler

Yalbak-Taş XIII (A 39) Yazıtı

Yazıt toplam 9 harf ve tek satırdan oluşmakta olup Yalbak-Taş kaya kütlesi üzerindeki yazıtlardan biridir.

[illegible]

Er atı ėl yėgen e

Erkeklik adı(m) El Yegen(dir.)

A 78. Kurgak I

Bir av sahnesi tasvir edilen yazıtta toplam seksen beş harften oluşan bir satır bulunmaktadır. Kaya üzerindeki bu metin ilk bulunduğu yerdedir.

[illegible]

[illegible]

Temir apa oglum a esiz ökünçüg e atım kuluŋ a alp aŋa alp körki ökünçüg e yügetdi? yüzüm? dymiz (?) e eviŋde bėş ertiŋ e bėş öŋ (öŋi?) e bunsuz kaldı a ökünçüg e sagış a

Temir Apa'nın çocuğuyum, ne yazık! Ne pişmanlık! Adım Kulun Alp('tır). Onun muhteşem güzelliği, ne pişmanlık! Övdü, yüzüm? evinde barkında beş (kişi) idin. Beş (kişiden) başka? sıkıntısız kaldı. Ne pişmanlık! Ne acı!

Kırgızistan Yazıtlarından Örnekler

Talas II (K 2) Yazıtı

1898'de Kallaur tarafından, bugünkü Talas şehrine yaklaşık 7 km uzaklıktaki Kırk Kazık bölgesinde bulunmuştur. Toplam 8 satırlık Türkçe metin bulunan yazıt, bugün Bişkek Devlet Müzesi'nde korunmaktadır.

[illegible] 1
[illegible] 2
[illegible] ?<...> [illegible] 3
[illegible] 4
[illegible] <...> [illegible] 5
[illegible] 6
<...> [illegible] 7
[illegible] (?) [illegible] 8

1. *otuz oglan a sagdıçları pėçin e <i>lt<e> <y>ėgirmi e*
2. *er atım kara çor a yagı atı kara yazmaz*
3. *altı uyasıga bir ėkiz e siŋili <...> ölmiş*
4. *kar<a> çor atım kul a kara yazmaz a*
5. *kar<a> çor a esiz <...> özge uyalarına adrılmış a*
6. *atası atı togan oglı atı kar<a> çor*
7. *oglı atı <...>*
8. *oglum atı a*

1. Otuz oğlan sadık dostları maymun yılının yirmi(sindeydi)
2. Erkeklik adım Kara Çor, düşman(ımın) adı Kara Yazmaz
3. Altı akrabası, bir(i) ikiz (olan) kızkardeşi <...> ölmüş.
4. Kara Çor adım(dır). Kul, Kara Yazmaz

5. Kara Çor, ne yazık <...> başka akrabalarından (da) ayrılmış
6. Babasının adı Togan, oğlunun adı Kara Çor (imiş)
7. Oğlunun adı <...>
8. Oğlumun adı<...>

Koçkor VII (K 27) Yazıtı

Yazıt, Koçkor bölgesinde ele geçen çok sayıda kaya yazıtından biridir.

<...>𐰢𐱁𐰺𐰖𐰀𐰸𐰣𐰆𐰍𐰑𐰢𐱃𐰼

er atım adıg on ok a yarışım[ız]

Erkeklik adım Adıg('dır). On Ok (boyundanım), (yurdumuz) Yarış'ımız.

Çin Halk Cumhuriyeti Yazıtlarından Örnekler

Karı Çor Tegin (Xi'an) Yazıtı

2012 yılının sonlarında, Tang Hanedanı'nın başkenti, eski adıyla Chang'an (長安), şimdiki adıyla Xi'an'da (西安), 222 Çince karakterden oluşan Tang Hanedanı dönemi Çincesi bir metinle 17 satırdan oluşan Türk runik harfli eski Türkçe kısa bir metin içeren bir mezar taşı bulunmuş ve aynı kentte bulunan Büyük Tang Batı Pazarı (Datang xishi 大唐西市) Müzesinde koruma altına alınmıştı. İki dilli bu mezar taşının 795 yılında hazırlandığı Çince bölümden anlaşılmaktadır. Eski Türkçe bölümdeki *lagzın yıl* "domuz yılı" ifadesinden de 795 yılı elde edilmektedir.

Adına mezar taşı hazırlanan ve Çince bölümde yer alan ifadede Tang Hanedanı'nın sol kuvvetler komutanı olduğu belirtilen Karı Çor Tegin, Uygur Kağanlığı'nın ikinci kağanı Moyan Çor'un torunudur. Yazıtın Çince bölümünün ilk satırı şöyledir: 故回鹘葛啜王子守左领军卫将军 *Gu huihu ge chuo wangzi shou zuo lingjun wei jiangjun*. "Müteveffa Uygur Karı Çor Tegin, Sol Kuvvetler Komutanının Hatıra Yazıtı".

Toplam on yedi satırlık Türkçe metnin her satırında bir iki sözcük bulunduğu için satırlar yan yana yazıldığında ancak üç satır kadar yer tutan kısa bir metin elde edilebilmektedir. Karı Çor Tegin'in mezar taşının, Çin Hükümdarı Tang Dezong (唐德宗) (779-805) tarafından yaptırıldığı, Çince bölümde belirtilmiştir. Uygur asıllı komutanın, Tang Hanedan'ı ordularının sol kuvvetler askerî birliğinin komutanlığına kadar yükseldiği, on dokuz yaşındayken hastalanarak vefat ettiği bilgisi de yine Çince bölümde yer almaktadır. Eski Türkçe metinse tamamen bir soy kütüğü niteliğindedir.

𐰉𐰆 ? 𐰢𐰭 1
𐱅𐰾𐰃:𐰋𐱅𐰏𐰃 2
𐰖𐰍𐰞𐰴𐰺:𐰴𐰣 3
𐰀𐰞𐱃𐰃:𐰲𐰉𐰃𐱁 4
𐱅𐰏𐰤:𐰆𐰍𐰞𐰃 5
𐰴𐰣:𐱃𐰆𐱃𐰸 6
𐰀𐱃𐰃𐰽𐰃: 7
𐰋𐰇𐰏𐰇:𐰋𐰃𐰠 8
𐰏𐰀:𐱅𐰭𐰼𐰃 9
𐰴𐰣:𐰃𐰤𐰃𐰾𐰃 10
𐰴𐰺𐰃 𐰲𐰆𐰺 11
𐱅𐰏𐰤:𐰽𐰃𐰤𐰃 12
𐰖𐰆𐰍𐰃:𐱃𐰉𐰍𐰲 13
𐰴𐰣:𐰖𐰆𐰍𐰞𐱃𐰑𐰃: 14
𐰞𐰍𐰔𐰣:𐰖𐰃𐰞: 15
𐰀𐰞𐱃𐰃𐰨:𐰖𐰴𐰀: 16
𐰘𐱅𐰃:𐰖𐰭𐰃𐰴𐰀 17

(1) *bo [er] miŋ-* (2) *-tisi bitigi* (3) *yaglakar kan* (4) *altı çawış* (5) *tėgin oglı* (6) *kan totok* (7) *atısı* (8) *bögü bil-* (9) *ge teŋri* (10) *kan inisi* (11) *karı çor* (12) *tėgin sını* (13) *yogı tawgaç* (14) *kan yoglatdı* (15) *lagzın yıl* (16) *altınç ayka* (17) *yėti yaŋıka*

(1) Bu, er ming- (2) -tisi yazıtı(dır). (3) Yaglakar Han (sülalesinden) (4) Altı Çavış (5) Tegin'in oğlu (6) Kan Totok'un (7) yeğeni (8) Bögü Bil- (9) -ge Tengri (10) Kan'ın kardeşi (11) Karı Çor (12) Tegin'in mezarı(dır). (13) Yoğ (törenini) Tang (14) hükümdarı yaptırdı. (15) Domuz yılı(nın) (16) altıncı ay(ının) (17) yedinci günü(nde)."

KAYNAKLAR

Aalto, Pentti-Gustaf J. Ramstedt-Johannes G. Granö, "Materialien zu den alttürkischen Inschriften der Mongolei". *Journal de la Société Finno-Ougrienne* LX/7, (1958), s. 3-91.

Aalto, Pentti, "Old Turkic epigraphic materials. (Gathered by. J. G. Granö)." *Journal de la Société Finno-Ougrienne* 83, (1991), s. 7-78.

Ağca, Ferruh, "Eski Uygurcada Gerçekten *n- diyalekti* ve *y- diyalekti* Var mı?". Hüseyin Yıldız (Ed.): *Eski Türkçenin İzinde, Türkiye'de Eski Türkçe Çalışmaları*. Ankara: Akçağ Yayınları, 2019, s. 33-48.

Alimov, Rysbek, *Tanrı Dağı Yazıtları. Eski Türk Runik Yazıtları Üzerine Bir İnceleme*. Konya: Kömen Yayınları, 2014.

Alyılmaz, Cengiz, *Orhun Yazıtlarının Bugünkü Durumu*. Ankara: Kurmay Yayınları, 1995.

Alyılmaz, Cengiz, "Moğolistan'da Eski Türk Kültür ve Medeniyetine Ait Bazı Eserler ve Bulundukları Yerler". *Atatürk Üniversitesi Türkiyat Araştırmaları Enstitüsü Dergisi* 21, (2003), s. 181-199.

Alyılmaz, Cengiz, *İpek Yolu Kavşağının Ölümsüzlük Eserleri*. Ankara: Atatürk Üniversitesi Yayınları, 2015.

Arsal, Sadri Maksudi, "Çinliler ve Moğolların Hoei-Hou ve Uygurlarıyla Orhun Türk Kitabelerindeki Oğuzların Aynı Olduklarına Dair İzahat". *Türk Yurdu* 3/10, (1925), s. 106-111.

Arsal, Sadri Maksudi, "Çinlilerin Hoei-Hou Dedikleri Halkın Orhun Kitabeleri'ndeki Dokuz Oğuzların Aynı Olduğuna Dair İzahat". *Türk Yurdu* 3/14, (1925), s. 218-231.

Aydın, Erhan, *Türk Runik Kaynakçası*. Çorum: Karam Yayınları, 2008.

Aydın, Erhan, "The Contribution of the Mongolian Language on the Reading of Place Names in Old Turkic Inscriptions: *Togla* or *Tugla* (*Tugula*?)". *Central Asiatic Journal* 54/1, (2010), s. 22-26.

Aydın, Erhan, *Türk Runik Bibliyografyası*. (Genişletilmiş 2. baskı), İstanbul: Türk Dilleri Araştırmaları Dizisi, 2010.

Aydın, Erhan. "Remarks on *Qatun* in the Yenisei Inscriptions". *Acta Orientalia Academiae Scientiarum Hungaricae* 64/3, (2011), s. 251-256.

Aydın, Erhan-Erkin Ariz, "Xi'an Yazıtı Üzerinde Yeni Okuma ve Anlamlandırmalar". *Bilig* 71, (2014), s. 65-80.

Aydın, Erhan, "Moğolistan'daki Runik Harfli Eski Türk Yazıtlarının Envanter Sorunları ve Bir Numaralandırma Denemesi". Aysima Mirsultan-Mihriban Tursun Aydın-Erhan Aydın (Ed.): *Eski Türkçeden Çağdaş Uygurcaya, Mirsultan Osman'ın Doğumunun 85. Yılına Armağan*. Konya: Kömen Yayınları, 2015, s. 53-73.

Aydın, Erhan, *Eski Türk Yer Adları*. İstanbul: Bilge Kültür Sanat Yayınları, 2016.

Aydın, Erhan, "Dialectal elements in the vocabulary of the Uyghur Khanate inscriptions". *Acta Orientalia Academiae Scientiarum Hungaricae* 69/3, (2016), s. 285-300.

Aydın, Erhan, "Eski Türk Yazıtlarında Bitkiler ve Hayvanlar". *Türk Kültürü* 2016/1, (2016), s. 1-51.

Aydın, Erhan, *Orhon Yazıtları, Köl Tegin, Bilge Kağan, Tonyukuk, Ongi, Küli Çor*. İstanbul: Bilge Kültür Sanat Yayınları, 2017.

Aydın, Erhan, *Türk Runik Bibliyografyası*. İstanbul: Bilge Kültür Sanat Yayınları, 2017.

Aydın, Erhan, *Uygur Yazıtları*. İstanbul: Bilge Kültür Sanat Yayınları, 2018.

Aydın, Erhan, *Taşa Kazınan Tarih, Türklerin İlk Yazılı Belgeleri*. İstanbul: Kronik Kitap, 2018.

Aydın, Erhan, *Sibirya'da Türk İzleri, Yenisey Yazıtları*. İstanbul: Kronik Kitap, 2019.

Aydın, Erhan, *Türklerin Bilge Atası Tonyukuk*. İstanbul: Kronik Kitap, 2019.

Aydın, Erhan, *Bozkırın Tanıkları, Eski Türkçe Yazıtlar*. İstanbul: Bilge Kültür Sanat Yayınları, 2021.

Badam, Azzaya, "Moğolistan'daki Runik Yazıtlar". *Türkbilig* 20, (2010), s. 67-81.

Barthold, Vladimir V., "Die Historische Bedeutung der alttürkischen Inschriften". W. Radloff: *Die alttürkische Inschriften der Mongolei.* (Neue Folge), St-Petersburg, 1897, s. 1-36.

Barthold, Vladimir V., *Orta Asya, Tarih ve Uygarlık*. Çev. D. Ahsen Batur, İstanbul: Selenge Yayınları, 2010.

Barutçu Özönder, F. Sema, "Eski Türklerde Dil ve Edebiyat". H. Celal Güzel - Kemal Çiçek - Salim Koca (Yay.): *Türkler*, c. 2, Ankara: Yeni Türkiye Yayınları, 2002, s. 481-501.

Bazin, Louis, *Les systemes chronologiques dans le monde Turc ancien*. Budapest: Akadémiai Kiadó, 1991. Türkçesi: *Eski Türk Dünyasında Kronoloji Yöntemleri*. Çev. Vedat Köken. Ankara: Türk Dil Kurumu Yayınları, 2011.

Berta, Árpád, *Szavaimat Jól Halljátok,* A Türk és Ujgur Rovásírásos Emlékek Kritikai Kiadása, Szeged: Jate Press, 2004. Türkçesi: *Sözlerimi iyi dinleyin: Türk ve Uygur Runik Yazıtlarının Karşılaştırmalı Yayını*. Çev. Emine Yılmaz, Ankara: Türk Dil Kurumu Yayınları, 2010.

Boodberg, Peter A., "T'u-Chüeh Türkleri Hakkında Üç Not". Çev. Eşref B. Özbilen. *Türk Dünyası Araştırmaları* 102, (1996), s. 177-188.

Caferoğlu, Ahmet, *Türk Dili Tarihi I*. İstanbul: Enderun Yayınları, 1984.

Chavannes, Édouard, *Batı Türkleri/Çin Kaynaklarına Göre*. Çev. Mustafa Koç. İstanbul: Selenge Yayınları, 2007.

Chen Sanping, "Turkic or Proto-Mongolian? A Note on the Tuoba Language". *Central Asiatic Journal* 49/2, (2005), s. 161-174.

Clauson, Gerard, "The origin of the Turkic "runic" alphabet". *Acta Orientalia* 32, (1970), s. 51-76.

Clauson, Gerard, *An Etymological Dictionary of Pre-Thirteenth-Century Turkish*. Oxford: Oxford University, 1972.

Clauson, Gerard "Tonyukuk Abidesi Hakkında Bazı Notlar". Çev. İnci Enginün. *Türkiyat Mecmuası* 18, (1976), s. 141-148.

Çandarlıoğlu, Gülçin, *Uygur Devletleri Tarihi ve Kültürü*. İstanbul: Türk Dünyası Araştırmaları Vakfı Yayınları, 2004.

Doerfer, Gerhard, "Materialien zu türk. h- I". *Ural-Altaische Jahrbücher, Neue Folge* 1, (1981), s. 93-141.

Doerfer, Gerhard, "Materialien zu türk. h- II". *Ural-Altaische Jahrbücher, Neue Folge* 2, (1982), s. 138-168.

Doğan, Şaban, "Moğolistan'daki Türkoloji Çalışmaları Üzerine". Şaban Doğan (Ed.): *Türk Moğol Dil Tarih Kültür Araştırmaları,* İstanbul: Kesit Yayınları, 2019, s. 171-178.

Donner, Otto, "Wörterverzeichniss zu den inscription de l'Iénissei". *Mémoires de la Société Finno-Ougrienne* 4, (1892), s. 1-69.

Ecsedy, Hilda, "Old Turkic titles of Chinese Origin". *Acta Orientalia Academiae Scientiarum Hungaricae* 18/1-2, (1965), s. 83-91.

Ercilasun, Ahmet B., "İstemi (Sır Temir) Kağan". *Türk Kültürü* 2008/1, (2008), s. 76-109.

Ercilasun, Ahmet B., *Türk Kağanlığı ve Türk Bengü Taşları*. İstanbul: Dergâh Yayınları, 2016.

Ercilasun, Bilge, "Orhun Abideleri Hakkında Türkiye'deki İlk Bilgiler". *3. Uluslar Arası Türk Dil Kurultayı* 1996. Ankara: Türk Dil Kurumu Yayınları, 1999, s. 409-422.

Erdal, Marcel, *Old Turkic word formation. A Functional Approach to the Lexicon I-II*. Wiesbaden: Harrassowitz, 1991.

Erdal, Marcel, "The runic graffiti at Yar Khoto". *Türk Dilleri Araştırmaları* 3, (1993), s. 87-108.

Erdal, Marcel, "Anmerkungen zu den Jenissei-Inschriften". Mehmet Ölmez-Simone Ch. Raschmann (Ed.): *Splitter aus der Gegend von Turfan*. (Festschrift für Peter Zieme anlässlich seines 60. Geburtstags). İstanbul, Berlin, 2002, s. 51-73.

Erdal, Marcel, *A Grammar of Old Turkic*. Leiden-Boston: Brill, 2004.

Ergin, Muharrem, *Orhun Abideleri*. İstanbul: Millî Eğitim Bakanlığı Yayınları, 1970.

Erkoç, Hayrettin İhsan, "Efsanevî Türk Hükümdarı Yama Kağan ve Türk Mitolojisi'nde Fatih Ata Hükümdar Motifi". *9. Milletlerarası Türk Halk Kültürü Kongresi Bildirileri, Gelenek, Görenek ve İnançlar*. Ankara: Kültür ve Turizm Bakanlığı Yayınları, 2018, s. 157-173.

Gabain, Annemarie von, *Eski Türkçenin Grameri*. Çev. Mehmet Akalın. Ankara: Türk Dil Kurumu Yayınları, 1988.

Giraud, René, *L'Inscription de Baïn Tsokto*. Paris: Librairie d'Amerique et d'Orient, 1961.

Golden, Peter B., *Türk Halkları Tarihine Giriş*. Çev. Osman Karatay. Ankara: Karam Yayınları, 2002.

Guzev, Viktor G.-Sergey G. Klyaştornıy. "Genel Yazı Nazariyesi Işığında Göktürk Yazısının Menşei Meselesi (Okunuşunun 100. Yıl Dönümü Dolayısıyla)". *Türk Dili Araştırmaları Yıllığı Belleten 1993*, (1995), s. 27-33.

Gül, Bülent, "Talat Tekin ve Orhon Türkçesi". Emine Yılmaz-Nurettin Demir-İsa Sarı (Ed.): *Talat Tekin ve Türkoloji*. Ankara: Nobel Yayınları, 2018, s. 45-62.

Hamilton, James R., "Tokuz Oguz ve On Uygur". Çev. Yunus Koç-İsmet Birkan. *Türk Dilleri Araştırmaları* 7, (1997), s. 187-232.

Hansen, Olaf, "Zur Soghdischen Inschrift auf dem dreisprachigen Denkmal von Karabalgasun". *Journal de la Société Finno-Ougrienne* 44/3, (1930), s. 1-39.

Heikel, Axel O.-G. von der Gabelentz-J. Gabriel Dévéria-Otto Donner, *Inscriptions de l'Orkhon, recueillies par l'expédition finnoise de 1890 et publiées par la Société Finno-Ougrienne*. Helsingfors, 1892.

Hirth, Friedrich, "Nachworte zur Inschrift des Tonjukuk, Beiträge zur Geschichte der Ost-Türken im 7. und 8. jahrhundert nach Chinesischen Quellen". Wilhelm Radloff, *Die alttürkischen Inschriften der Mongolei* (Zweite Folge), St.-Petersburg, 1899, s. 1-140.

Jisl, Lumir, "Kül-Tegin Anıtında 1958'de Yapılan Arkeoloji Araştırmalarının Sonuçları". *Belleten* 27/107, (1963), s. 387-410.

Kempf, Béla, "Old-Turkic runiform inscriptions in Mongolia: An overview". *Turkic Languages* 8/1, (2004), s. 41-51.

Kızlasov, İgor L., *Runiçeskiye pis'mennosti Yevraziyskih stepey*. Moskva, 1994.

Kızlasov, İgor L.-Leonid R. Kızlasov, "Sayan-Altay Türklerinin Yeni Runik Yazısı". Çev. Muvaffak Duranlı. *Türk Dili Araştırmaları Yıllığı Belleten 1990*, (1994), s. 85-136.

Kızlasov, Leonid R., "Hakasların Hükümdarlık Ünvanı 'AJO' ve Yenisey Runik Yazılarının Kullanıştan Kaldırılması Zamanı Hakkında." Çev. A. Salihoğlu-G. Alhanlıoğlu, *Türk Dünyası Tarih* 88, (1994), s. 49-51.

Klaproth, Heinrich J., "Sur quelques antiquités de la Sibérie". *Journal Asiatique* 2, (1823).

Klyaştornıy, Sergey G., *Drevnetyurkskiye runiçeskiye pamyatniki kak istoçnik po istorii Sredney Azii*. Moskva: Institutı Narodov Azii, 1964.

Klyaştornıy, Sergey G.-Vladimir A. Livşiç, "The Sogdian inscription of Bugut Revised". *Acta Orientalia Academiae Scientiarum Hungaricae* 26/1, (1972), s. 63-102. "Bugut'taki Sogtça Kitabeye Yeni Bir Bakış". Çev. Emine Gürsoy-Naskali, *Türk Dili Araştırmaları Yıllığı Belleten 1987*, (1987), s. 201-241.

Kormuşin, İgor V., *Tyurkskiye Yeniseyskiye yepitafii, tekstı i issledovaniya*. Moskva: Nauka, 1997.

Köprülü, M. Fuad, "Kitabiyat Tenkidleri, Sadri Maksudi'nin Çinlilerle Moğolların *Hoei-Hou*'ları ve Orhun Türk Kitabelerinin Oğuzları". *Türkiyat Mecmuası* 1, (1925), s. 322-326.

Liu Mau-Tsai, *Çin Kaynaklarına Göre/Doğu Türkleri*. Çev. Ersel Kayaoğlu-Deniz Banoğlu. İstanbul: Selenge Yayınları, 2006.

Livşiç, Vladimir A., "Eski Türk Runik Yazısının Ortaya Çıkışı Üzerine". Çev. Saadettin Gömeç-Tamara Ölçekçi. *Dil ve Tarih-Coğrafya Fakültesi Tarih Araştırmaları Dergisi* 31, (2000), s. 37-50.

Mackerras, Colin, "Uygurlar". Çev. Şinasi Tekin, derleyen: Denis Sinor: *Erken İç Asya Tarihi*, İstanbul: İletişim Yayınları, 2003, s. 425-458.

Maksudov, Farhad-Gaybullah Babayar, "Eski Türk Yazısının Menşei Üzerine Bazı Düşünceler". Mehmet Ölmez - Erhan Aydın - Peter Zieme - Mustafa S. Kaçalin (Yay.): *Ötüken'den İstanbul'a Türkçenin 1290. Yılı (720-2010) Sempozyumu Bildirileri*. İstanbul: İstanbul Büyükşehir Belediyesi, 2011, s. 473-488.

Malov, Sergey Ye., *Pamyatniki drevnetyurkskoy pis'mennosti, tekstı i issledovaniya*. Moskva-Leningrad, 1951.

Malov, Sergey Ye., *Yeniseyskaya pis'mennost' Tyurkov, tekstı i perevodı*. Moskva-Leningrad, 1952.

Malov, Sergey Ye., *Pamyatniki drevnetyurkskoy pis'mennosti Mongolii i Kirgizii*. Moskva-Leningrad, 1959.

Constantin, G. I., "The first mention of the Yenisei Old Kirghiz Inscriptions: The Diary of the Rumanian traveller to China Nicolaie Milescu (Spathary)-1675". *Turcica* 2, (1970), s. 151-158. Türkçesi: "Yenisey Eski Kırgız Yazıtlarının İlk Zikri: Çin'e Giden Romen Seyyah Nicolaie Milesco (Spathary)'nin Günlüğü-1675". Çev. Günay Karaağaç, *Türk Dili Araştırmaları Yıllığı-Belleten 1985*, (1985), s. 1-7.

Mori Masao, "Ch'i-min Hakan'ın Bir Çin İmparatoruna Gönderdiği Mektubun Üslubu Hakkında". *Reşid Rahmeti Arat İçin*. Ankara: Türk Kültürünü Araştırma Enstitüsü Yayınları, 1966, s. 363-372.

Moriyasu, Takao-Ayudai Ochir (Ed.): *Provisional Report of Researches on Historical Sites and Inscriptions in Mongolia from 1996 to 1998*. Osaka: The Society of Central Eurasian Studies, 1999, s. 168-176.

Németh, Julius, Die köktürkischen Grabinschriften aus dem Tale des Talas in Turkestan. *Kőrösi Csoma Archivum* 2, (1926), s. 134-143.

Orkun, Hüseyin Namık, *Eski Türk Yazıtları* I. İstanbul: Türk Dil Kurumu Yayınları, 1936.

Orkun, Hüseyin Namık, *Eski Türk Yazıtları* II. İstanbul: Türk Dil Kurumu Yayınları, 1938.

Orkun, Hüseyin Namık, *Eski Türk Yazıtları* III. İstanbul: Türk Dil Kurumu Yayınları, 1940.

Orkun, Hüseyin Namık, *Eski Türk Yazıtları* IV. İstanbul: Türk Dil Kurumu Yayınları, 1941.

Ôsawa, Takashi, "Şin-Jiang Bölgesinin Yili Irmak Kıyısında Bulunan Soğdca Yazılı Bir Taş Heykel-Mongolküre Yazıtı". *XIV. Türk Tarih Kongresi Bildirileri,* c. 3, Ankara: Türk Tarih Kurumu Yayınları, 2005, s. 559-576.

Ögel, Bahaeddin, "Göktürk Yazıtlarının 'Apurım'ları ve 'Fu-lin' Problemi". *Belleten* 9/33, (1945), s. 63-87.

Ögel, Bahaeddin, "Şine Usu Yazıtının Tarihî Önemi (Kutluk Bilge Kül Kagan ve Moyunçur)". *Belleten* 15/59, (1951), s. 361-379.

Ögel, Bahaeddin, "Doğu Göktürkleri Hakkında Vesikalar ve Notlar". *Belleten* 21/81, (1957), s. 81-137.

Ölmez, Mehmet, *Orhon-Uygur Hanlığı Dönemi Moğolistan'daki Eski Türk Yazıtları, Metin-Çeviri-Sözlük.* Ankara: BilgeSu Yayınları, 2012.

Ölmez, Mehmet, *Uygur Hakanlığı Yazıtları.* Ankara: BilgeSu Yayınları, 2018.

Öztürk, Mürsel, *Alaaddin Ata Melik Cüveynî, Tarih-i Cihan Güşa.* Ankara: Kültür Bakanlığı Yayınları, 1999.

Pelliot, Paul, "Neuf Notes sur des questions d'Asie Centrale". *T'oung pao* 26, (1929), s. 201-265.

Perlee, H., "Karta runiçeskih pis'menna territorii MNR". *Studia Museologica* 1/1-8, (1968), s. 10-12.

Pritsak, Omeljan, "Stammesnamen und Titulaturen der Altaischen Völker". *Ural-Altaische Jahrbücher* 24/1-2, (1952), s. 49-104.

Pulleyblank, Edwin, *Lexicon of Reconstructed Pronunciation in Early Middle Chinese, Late Middle Chinese, and Early Mandarin.* Vancouver: UBC Press, 1991.

Radloff, Wilhelm, *Atlas drevnostey Mongolii. Trudı Orhonskoy Ekspeditsii.* 4 c. St.-Petersburg, 1892-1899.

Radloff, Wilhelm, *Die alttürkische Inschriften der Mongolei.* St.-Petersburg, 1895.

Radloff, Wilhelm, *Die alttürkische Inschriften der Mongolei.* (Neue Folge). St.-Petersburg, 1897.

Radloff, Wilhelm, "Eine neu aufgefundene alttürkische Inschrift". *Bulletin de l'Académie Impériale des Sciences,* 4/8-1, (1898), s. 71-76.

Radloff, Wilhelm, "Altuigurische Sprachproben aus Turfan". D. A. Klementz-W. Radloff (Hrsg.): *Nachrichten über die von der kaiserlichen Akademie der Wissenschaften zu St. Petersburg im Jahre 1898 ausgerüstete Expedition nach Turfan.* St-Petersburg, 1898, s. 55-83.

Radloff, Wilhelm, *Die alttürkischen Inschriften der Mongolei* (Zweite Folge). St.-Petersburg, 1899.

Ramstedt, Gustaf J. "Zwei Uigurische runeninschriften in der Nord-Mongolei". *Journal de la Société Finno-Ougrienne* 30/3, (1913), s. 1-63.

Rybatzki, Volker, *Die Toñukuk-Inschrift.* Szeged: Studia Uralo-Altaica, 1997.

Sertkaya, Osman F., "Eski Türkçe (Göktürkçe ve Uygurca) Araştırıcısı Olarak Wilhelm Radloff". *Türk Dili* 444, (1988), s. 303-317.

Sertkaya, Osman F., "Göktürk Harfli Uygur Kitabelerinin Türk Kültür Tarihi İçerisindeki Yeri". *Türk Kültürü Araştırmaları* 28/1-2, (1992), s. 325-334.

Sertkaya, Osman F., "Göktürk (Runik) Harfli Yazıtların Envanter, Alfabe ve Bibliyografya Problemleri Üzerine". *Dil Araştırmaları* 2, (2008), s. 7-34.

Sinor, Denis, "(Kök) Türk İmparatorluğu'nun Kuruluşu ve Yıkılışı". Çev. Talat Tekin, ed. Denis Sinor: *Erken İç Asya Tarihi.* İstanbul: İletişim Yayınları, 2003, s. 383-424.

Strahlenberg, P. Tabbert von, *Das Nord und Östliche Theil von Europa und Asia.* Stockholm, 1730.

Street, John C., "Nominal Plural Formations in the *Secret History*". *Acta Orientalia Academiae Scientairum Hungaricae* 44/3, (1990), s. 345-379.

Şçerbak, Alexander M., "Yeniseyskiye runiçeskiye nadpisi. K istorii otkritiya i izuçeniya". *Tyurkologiçeskiy Sbornik* 1970, (1970), s. 111-134.

Şemseddin Sami, *Orhun Abideleri*. Ed. Gıyasettin Aytaş. Ankara: Akçağ Yayınları, 2012.

Şirin User, Hatice, *Köktürk ve Ötüken Uygur Kağanlığı Yazıtları, Söz Varlığı İncelemesi*. Konya: Kömen Yayınları, 2009. Yeni baskı: *Eski Türk Yazıtları Söz Varlığı İncelemesi*, Ankara: Türk Dil Kurumu Yayınları, 2016.

Taşağıl, Ahmet, *Göktürkler III*. Ankara: Türk Tarih Kurumu Yayınları, 2004.

Taşağıl, Ahmet, *Uygurlar-840'tan Önce-*. İstanbul: Bilge Kültür Sanat Yayınları, 2020.

Tekin, Talat, *A Grammar of Orkhon Turkic*. Bloomington: Indiana University Press, 1968.

Tekin, Talat, "Kuzey Moğolistan'da Yeni Bir Uygur Anıtı: Taryat (Terhin) Kitabesi". *Belleten* 46/184, (1983), s. 795-838.

Tekin, Talat, *Orhon Yazıtları*. Ankara: Türk Dil Kurumu Yayınları, 1988.

Tekin, Talat, *Tunyukuk Yazıtı*. İstanbul: Simurg Yayınları, 1994.

Tekin, Talat, *Orhon Türkçesi Grameri*. İstanbul: Türk Dilleri Araştırmaları Dizisi, 2013.

Temir, Ahmet, *Türkoloji Tarihinde Wilhelm Radloff Devri*. Ankara: Türk Dil Kurumu Yayınları, 1991.

Thomsen, Vilhelm, "Déchiffrement des inscriptions de l'Orkhon et de l'Iénisséi, notice préliminaire". *Bulletin de Académie Royale des Sciences et des Letters de Danemark* (1893), s. 285-299.

Thomsen, Vilhelm, "Inscriptions de l'Orkhon déchiffrées". *Mémoires de la Société Finno-Ougrienne* 5, (1896), s. 1-224.

Thomsen, Vilhelm, "Moğolistan'daki Türkçe Kitabeler". Çev. R. Hulusi Özdem. *Türkiyat Mecmuası* 3, (1935), s. 81-119.

Thomsen, Vilhelm, *Orhon Yazıtları Araştırmaları*. Çev. Vedat Köken. Ankara: Türk Dil Kurumu Yayınları, 2002.

Tıbıkova, Larissa N.-İrina A. Nevskaya-Marcel Erdal, *Katalog Drevnetyurkskih Runiçeskih Pamyatnikov*. Gorno-Altaysk, 2012.

Togan, İsenbike-Gülnar Kara-Cahide Baysal, *Eski T'ang Tarihi* (Chiu T'ang-shu). Ankara: Türk Tarih Kurumu Yayınları, 2006.

Tryjarski, Edward, "Asya ve Avrupa'daki Runik Yazıların Anonimliği, Farklılığı ve Yayılımı". Çev. Emine Gürsoy-Naskali, *Türk Dili Araştırmaları Yıllığı Belleten 1993*, (1995), s. 43-49.

Vasilyev, Dmitriy D., "Pamyatniki Tyurkskoy runiçeskoy pis'mennosti Aziatskogo areala". *Sovyetskaya Tyurkologiya* 1976/1, (1976), s. 71-81.

Vasilyev, Dmitriy D., "Pamyatniki Tyurkskoy runiçeskoy pis'mennosti Aziatskogo areala". *Sovyetskaya Tyurkologiya* 1978/5, (1978), s. 92-95.

Vasilyev, Dmitriy D., *Korpus Tyurkskih runiçeskih pamyatnikov basseyna Yeniseya*. Leningrad: Akademiya Nauk SSSR, 1983.

Vovin, Alexander, "An Interpretation of the Khüis Tolgoi Inscription". *Journal Asiatique* 306/2, (2018), s. 303-313.

Vovin, Alexander, "Groping in the Dark: The First Attempt to Interpret the Bugut Brāhmī Inscription", *Journal Asiatique* 307/1, (2019), s. 121-134.

Vovin, Alexander, "A Sketch of the Earliest Mongolic Language: The Brāhmī Bugut and Khüis Tolgoi Inscription". *International Journal of Eurasian Linguistics* 1, (2019), s. 162-197.

Yazuksuz, Necip Asım, *Orhun Abideleri*. İstanbul, 1921-1922 (Hicri 1340).

DİZİN